ARROCES Y RISOTTOS

RAFAEL MÁRMOL

OBERON

Diseño y maquetación:
CECILIA POZA MELERO

© EDICIONES OBERON (G.A.) 2016

Juan Ignacio Luca de Tena 15

28027 Madrid

Depósito legal: M.2.980-2015

ISBN: 978-84-415-3789-7

Printed in Spain

A MARÍA, MI ESPOSA, CON TODO MI AGRADECIMIENTO
POR SU TIEMPO Y SU DEDICACIÓN A MÍ.

RAFAEL MÁRMOL

Nace en Alcázar de San Juan, criado en Córdoba, la tierra de sus padres, su avance profesional le conduce a Valencia, donde desarrolla el final de su dilatada presencia en el mundo de la gastronomía. Después de más de 50 años, ya no se considera un valenciano de adopción sino un valenciano más.

Por oficio y devoción es un cocinero que ha desarrollado su labor entre los hoteles y restaurantes más prestigiosos de España. Dedicando tiempo a la investigación de sabores y a la creación de nuevas recetas.

Ha inaugurado hoteles por toda la geografía nacional, ejercido como jurado en los más relevantes encuentros gastronómicos: Bailío de Valencia de la Chaine de Retisseurs, miembro de Euro Toques, Socio fundador del Club de jefes de la Comunidad Valenciana.

Ha dirigido a numerosos equipos de trabajo ostentando cargos como el de chef ejecutivo y coordinador global de cocina de las cadenas hoteleras más emblemáticas de éste país.

Rafael ha hecho suya la siguiente frase:

"Elige un trabajo que te guste y no tendrás que trabajar ni un día de tu vida".

Ama su profesión, ha disfrutado de ella cada minuto de su vida profesional, y ahora, gracias a este libro, los que valoramos también la buena cocina, tenemos la espléndida oportunidad de empaparnos de su magia culinaria.

Autor de los libros:

- Los mejores arroces

- El aroma de los guisos

- La enfermedad celiaca y su gastronomía
  (coautor con Dr. Agustín Herrera).

- Paellas Valencianas

- Cocina tradicional Valenciana

ÍNDICE DE CONTENIDOS

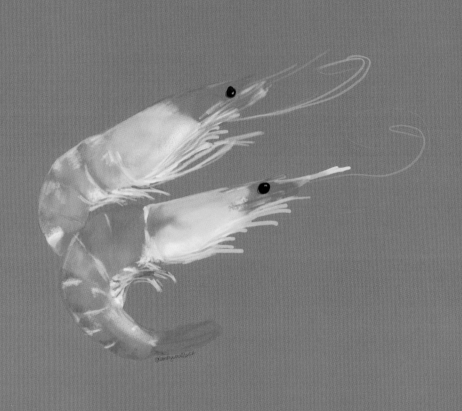

EL ARROZ EN LA GASTRONOMÍA

El perfil gastronómico del arroz ha ido evolucionando desde su aparición, cuando se utilizaba para elaborar, junto con legumbres, una especie de pan, que luego se tomaba con leche, carne y aceite. Pasó por ser también un espesante de salsas y sopas y más tarde se le dio forma de ingrediente una vez eliminada la cáscara, dentro de pucheros y guisos.

Tuvieron que pasar algunos siglos para que apareciera un libro, en el año 1520, escrito por Ruperto de Nola, con varias recetas donde el arroz se integra en el grupo de los platos fuertes con la receta del *Arrós en cassola al forn*. A partir de entonces, son muchas las referencias histórico-gastronómicas que van aflorando, considerando este producto una *alternativa* a los grupos de platos fuertes. En la costa mediterránea (como zona productora), igual que en otras regiones del interior, va apareciendo un espléndido recetario de arroces combinados con verduras, pescados, carnes, etc., logrando unas recetas exquisitas, a veces de una indudable sencillez.

El arroz es un producto con total versatilidad para las combinaciones más sorprendentes y por ello se adapta a todas las cocinas autóctonas de nuestro planeta, por lo tanto, facilita su uso (*in crescendo* en la mayoría de los países), aunque esto no evita que su consumo esté en gran parte relacionado, todavía, con los bajos niveles económicos de los pueblos.

COCINA DEL ARROZ

LOS RECIPIENTES Y EL FUEGO

Cualquiera que sea la receta de arroz que se piense llevar a la práctica, es de capital importancia la elección del recipiente de cocción, pues de él dependerá en gran parte el resultado. Incluso hay preparados que se hallan vinculados a un recipiente determinado, de forma que si este no se utiliza, se desvirtúa por completo; de forma que, si no es abusando de la imaginación, no se le puede dar otro nombre que el que para este preparado impuso la tradición culinaria. El ejemplo más significativo de lo mencionado es la paella, la cual impropiamente recibirá ese nombre si en lugar del negro caldero de dos asas o la sartén se utilizara en su elaboración una cazuela o cacerola de profundo fondo, porque se podrá cocinar, valiéndose de estos utensilios, un arroz todo lo sabroso que se quiera, pero siempre carecerá de las señas de identidad de la auténtica paella.

LOS RECIPIENTES

Cuatro son las clases de recipientes que darán lugar a cuatro clases de técnicas culinarias: la olla, la cazuela o cacerola, la sartén o recipiente plano y metálico, y la cazuela de arroz al horno, que es una variante de la cazuela pero con determinadas características de la sartén.

Por olla o puchero se entiende una vasija de paredes altas en comparación con el diámetro de su fondo. Puede ser de barro o de metal, y esto tiene trascendencia en cuanto a la intensidad del fuego, que será menor en las ollas de barro, donde la cocción será más lenta.

Con la olla o puchero se cocinan los llamados arroces caldosos, pues los caracteriza la abundancia de caldo. Se calculan entre 50 y 55 gramos de arroz por ración, y dependerá su sustancia de la riqueza del caldo. En España los productos del cerdo son los más empleados para dicho fin, agregándose además hortalizas y legumbres. En cuanto al agua necesaria, se puede calcular en un cuarto de litro por persona. El arroz absorberá alrededor del 75% del agua, de ahí su denominación de «caldoso». Puede considerarse como prototipo de estos arroces el valenciano *arròs amb fesols i naps* (arroz con judías y nabos).

En algunas poblaciones costeras del sur de España también son tradicionales estos arroces caldosos, pero en ellos se utilizan, para dar sustancia al caldo de cocción, diversos pescados en lugar de productos cárnicos.

Las sopas de arroz también se elaboran en ollas o pucheros; se diferencian básicamente de los arroces caldosos en que la presencia del arroz es mucho menor y, en consecuencia, mayor la cantidad del caldo, el cual suele ser menos denso que en las citadas ollas.

Por cazuela o cacerola se entiende una vasija de paredes de altura media en proporción al diámetro del fondo; pueden ser de barro o metálicas, y en este caso se las suele denominar «cacerolas». Los arroces cocinados en cazuela o cacerola resultan siempre melosos, es decir, en un punto intermedio entre caldoso y seco, pues el caldo de cocción, no absorbido por completo, le da al grano una consistencia que recuerda a la miel. La cantidad de arroz por ración en estas recetas puede oscilar entre 80 y 100 gramos. (En los restaurantes la cantidad de arroz por comensal no suele superar los 80 gramos, por razones fácilmente comprensibles).

Por sartén se entiende una vasija metálica, de amplio diámetro y paredes bajas, y es indiferente el que tenga mango o asas. La palabra *paella* significa en Cataluña y Valencia «sartén», y el hecho de que se utilizara para elaborar determinado arroz, le ha dado nombre al plato. En la actualidad, por la popularización del plato, también se llama paella al recipiente de cocción (algunos impropiamente lo denominan «paellera»), es decir, a la sartén grande y negra (en muchos pueblos valencianos popularmente se le llama «caldero») de metal (las de hierro colado son las más apreciadas) con dos o cuatro asas, según su tamaño, y de paredes muy bajas.

Los arroces elaborados en paella son arroces fundamentalmente secos y por tanto habrán de quedar sueltos. José María Pemán, en un poema que dedicó a la paella, supo señalar acertadamente su más característica nota de identidad, pues dijo: «¡Oh, plato liberal! ¡Donde cada grano es un grano, como cada hombre es un voto!».

En consecuencia, una paella en la que el arroz resulte meloso, aunque grato al paladar, no lo será a la vista, e indicará que el cocinero/a no domina la técnica de su elaboración. El diámetro aconsejable para una paella de cuatro raciones es de 40 centímetros, y para seis, de 50; se debe aumentar de cinco en cinco centímetros, hasta llegar a los 65, que ya se considera suficiente para quince comensales. (En los restaurantes especializados las hay mucho mayores y, en la actualidad, para determinadas fiestas gastronómicas, se han fabricado las llamadas «paellas gigantes», con capacidad para mil y más raciones).

Para cazuela de arroz al horno, tradicionalmente y en el ámbito familiar, siempre se ha utilizado la cazuela de barro; en los restaurantes, por la fragilidad de estas, suelen utilizarse las de metal, difiriendo de las paellas en que tienen algo más de fondo. Estas cazuelas de amplio diámetro y paredes bajas, planas (las cazuelas de barro mencionadas en el primer punto son de fondo cóncavo), se utilizan solo para conseguir los llamados «arroces al horno», ya que sometidas a fuego directo las de barro fácilmente se resquebrajan.

Se cuecen a horno fuerte, 200 ℃, y dan como resultado los más secos de los arroces (los obtenidos en paella siempre conservan un ligero punto de melosidad). En la práctica doméstica no son arroces fáciles de obtener, por olvido de una regla elemental: la del previo calentamiento del horno, ya que el tiempo de cocción que indique la receta, se entiende todo él a los citados 200 ℃. Un arroz al horno mal elaborado suele tener su superficie externa dorada y seca, pero los granos del interior apelmazados y licuantes.

Las raciones que se calculan de arroz son las normales, de 80 a 100 gramos, y es importante elegir, según las raciones, una cazuela de diámetro apropiado. Una regla aconsejable: para cuatro comensales una cazuela de 30 centímetros de diámetro, que se aumentará en cinco centímetros por cada dos comensales más (a partir de ocho raciones, ya no se suelen emplear las de barro), y por otra parte, por conservar mejor el calor el barro que el metal, los arroces obtenidos en cazuelas tradicionales son de superior calidad gastronómica a aquellos que se cocinaron en las metálicas.

EL FUEGO

Tradicionalmente los arroces en olla o cazuela de barro cóncava se cocinaban sobre fuego de brasas de carbón vegetal con muy poca fuerza calórica; ninguna dificultad encierra utilizar en su lugar el gas, el butano o la electricidad, es un factor que para nada influye en la calidad de los resultados.

En cuanto al arroz al horno, el eléctrico puede proporcionar una cocción tan buena o mejor que la de los antiguos. No obstante, siempre perdurará la nostalgia de algo definitivamente perdido: en épocas pasadas, en los hornos públicos, donde se cocían los arroces (cada ama de casa llevaba el suyo), se calentaban con leñas bajas del monte, entre las que había muchas plantas aromáticas (romero, tomillo, orégano, ajedrea), cuyas leñas daban al arroz un delicado aroma que ahora difícilmente se puede conseguir.

La paella, por contra, nunca pudo cocinarse cómodamente en las cocinas domésticas habituales en España, ya que por su amplio diámetro y por requerir un fuego directo en toda la extensión del recipiente, se cocía con exceso la parte central y quedaba mucho más frío y crudo el arroz de la circunferencia externa. Por ello, la paella estaba considerada como plato de fiesta, y se guisaba al aire libre con abundante leña. En la actualidad existen hornillos provistos de círculos de dimensiones variables que permiten repartir la energía calorífica por todo el fondo de la paella; no obstante, se mantiene también la nostalgia por los fuegos de leña, y de ahí que en los restaurantes donde se utiliza todavía esta se anuncie a los clientes como atractivo reclamo.

LOS INGREDIENTES

En la cocina del arroz hay tres ingredientes esenciales, básicos: el arroz, el agua y una grasa (aceite), a los que se les puede agregar la sal, de la cual solo se prescinde en contadas recetas. Ahora bien, como ingredientes optativos podrían citarse toda clase de productos alimenticios, carnes, pescados, mariscos, legumbres, hortalizas y aun las frutas, de ahí esa inmensa variedad de recetas de las cuales es el arroz actor protagonista. Sin embargo, debe tenerse en cuenta que entre estos ingredientes substituibles, los hay que cuentan con una antigua tradición en cuanto a su utilización culinaria y han dado lugar a denominaciones concretas de algunos preparados, mientras que en el caso de otros ingredientes, sus matrimonios con la *Oryza sativa* no pasan de caprichosas uniones pasajeras.

El arroz. Un grano de arroz consta de una cubierta exterior, el germen y el endospermo; de las tres, es esta última la que se utiliza como alimento, pues las otras pasan a constituir salvado o subproductos. El endospermo está compuesto principalmente por almidón, y este almidón es el que absorbe los distintos sabores de los demás ingredientes que acompañan al cereal cuando se guisa o condimenta. Si se cocina correctamente, el grano se mantiene entero y adquiere sabor; si se pasa de cocción, se revienta (en Valencia a este arroz se lo denomina *empastrat*) y pierde la mayor parte de su sustancia. En consecuencia, llegado el momento de elegir una u otra clase de arroz, las características a tener en cuenta, respecto al grano, son la cantidad de agua o caldo que absorbe y su resistencia a abrirse o reventar (la práctica de sofreír el arroz en muchos preparados tiene como objeto prevenir esta última circunstancia).

Por sus dimensiones, se denomina arroz de *grano medio* aquel cuyos granos miden entre 5 y 6 milímetros de longitud, y arroz de *grano largo* el que supera los 6 milímetros; los que no llegan a grano medio son poco apreciados. Son los de grano medio los más utilizados en la mayor parte de los arroces españoles tradicionales; mientras que los de grano largo, que absorben menos agua y cuecen en menos tiempo, son más utilizados en los arroces cuya finalidad es la de acompañar a otras viandas como guarnición, como son los casos del *arroz al curry* y del *arroz pilaff*. No obstante, se utilizan en toda clase de preparados, en especial en los que van al horno, cuando se opta por una cocina *light*. Respecto a variedades botánicas, en España el más popular es el *bomba,* por su consistencia; y en Italia el *arborio,* ambos de grano medio; entre los de grano largo, el más utilizado es el denominado *carolina.*

Una ración normal se calcula entre 80 y 100 gramos, en la mayor parte de sus preparados culinarios, reduciéndose en las recetas de arroces para postres, en las sopas y en los denominados «caldosos». 100 gramos de arroz crudo aportan 361 calorías, que se reducen a 123 en la misma cantidad de arroz cocido, y de ahí la justificación de la presencia de otros ingredientes en toda la cocina arrocera.

El agua. De su composición depende en gran parte el tiempo de cocción de los arroces; en especial, de la presencia del calcio. No obstante, es una circunstancia que para los cocineros, que conocen sobradamente las cualidades del agua de sus localidades de residencia, no encierra ninguna dificultad. La proporción de agua con respecto al arroz no tiene ninguna regla áurea, por razón de las distintas naturalezas de esta, y solo la práctica es maestra. Sin embargo, es norma generalmente aceptada la de que el volumen de agua para la cocción oscile entre dos partes y media y tres más que la del grano.

El agua es condición básica para obtener un caldo, por tanto, en la cocina y más aún en la cocina del restaurante, es conveniente tener estos caldos previamente preparados; pudiendo ser de carne de ternera, de ave, de pescados y mariscos o solo de verduras, y el cocinero elegirá el más adecuado para la obtención del plato que haya decidido elaborar.

La grasa. Salvo en los llamados «arroces blancos», y en algunos arroces destinados a postres dulces, en toda la cocina del arroz se emplea una grasa u otra. En España, la grasa vegetal más generalmente utilizada es el aceite, y en especial el aceite de oliva. En Italia, para los *risottos* se opta por la mantequilla, aunque muchas veces se mezcla con aceite. En determinadas recetas se utilizan grasas animales, como la manteca de cerdo. Tampoco hay regla fija para el empleo de las grasas, pero un consejo práctico, en especial para las paellas y guisos de cazuela, en los que haya un previo sofrito, es la de que la cantidad de aceite sea como máximo un treinta por ciento de la del arroz. Utilizar un exceso de grasa influye negativamente en la calidad de cualquier arroz.

En la redacción de las recetas, muchas veces, por ser más práctico, se indica la utilización del aceite por medio de cucharadas soperas, y entonces debe tenerse en cuenta que una cucharada sopera equivale a 0,20 decilitros.

En las recetas, generalmente de origen directo o indirecto italiano, en las que se incluye mantequilla, esta se puede reemplazar por aceite de oliva, y se deberá tener en cuenta que en ese caso la cantidad del aceite se calculará en un veinte por ciento inferior a la cantidad que se indique para la mantequilla, por ser esta más pobre en líquidos.

Otros ingredientes. En general, deberá tenerse en cuenta que todos los ingredientes que figuran en las recetas, con excepción lógica de los que pudieran dar nombre al preparado culinario, admiten ser sustituidos por otros, siempre que sean parecidos; y así, las espinacas pueden sustituir a las acelgas y las judías verdes a las distintas variedades que en Valencia se reservan, por considerarse típicas, para la elaboración de la paella tradicional; también el pato puede sustituir al pollo; el conejo a la liebre y lo mismo ocurre con toda clase de pescados y mariscos entre sí.

En lo referente a las cantidades señaladas en las recetas, aunque la mayor parte se hallan indicadas en gramos, se deberá tener en cuenta:

- Una cucharada sopera (rasa) equivale a 20 gramos o 0,20 decilitros.
- Una cucharada de café (rasa), a 5 gramos o 0,05 decilitros.
- Una pizca de sal, a 5 o 6 gramos.
- Una pizca, pellizco o puntita de sal o especias, a 1,5 o 2 gramos.
- Un vaso de vino, a 1 decilitro.
- Un cazo de caldo, a un cuarto de litro.
- En cuanto al azafrán, para cuatro raciones bastará con 7 u 8 hebras.

TÉCNICA CULINARIA

La mayor parte de los arroces españoles y de los *risottos* italianos obedecen a la siguiente técnica.

- Preparación de los ingredientes: mondar y lavar las verduras; mantener en remojo las legumbres (suele hacerse la víspera a su utilización), limpiar y eviscerar los pescados; trocear las carnes, etc.

- En el recipiente de cocción, o por separado en una sartén, elaborar un sofrito utilizando aceite, mantequilla o una mezcla de ambas grasas. Suele comenzarse por los bulbos: ajo y cebolla; le siguen las carnes o mariscos, en su caso, y se añaden después el tomate y el resto de las hortalizas.

- En los *risottos* y algunos arroces para guarniciones, solamente se sofríe cebolla y son suficientes dos minutos para esta operación. Conseguido el sofrito existen dos opciones:

- Se añade agua y en ella se cuecen todos los componentes del sofrito, hasta que la carne y las verduras estén cocidas. Entonces se agrega el arroz, el cual, según su calidad, cocerá entre 18 y 20 minutos.

- Se incorpora también el arroz al sofrito, se rehoga ligeramente y se añade un caldo de carne, pescado o verduras previamente preparado, y la cocción del arroz durará también entre 18 y 20 minutos.

- El primer procedimiento es el habitual en los arroces hogareños en las comarcas centrales de la Comunidad Valenciana, y también en las paellas con motivo de jiras campestres; en ellas, cuando se utiliza carne de pollo de corral, la elaboración excede con mucho de la hora.

El segundo es habitual en Alicante, y es el adoptado en todas partes por la inmensa mayoría de los restaurantes para elaborar paellas. En tales restaurantes, además de los caldos previamente preparados, también tienen sofritas con antelación y reservadas las carnes y verduras, y así, con esta prevención, pueden satisfacer al cliente en poco más de veinte minutos.

Por otra parte, deberá tenerse en cuenta si se sigue el primer procedimiento al elaborar una paella lo siguiente:

- Al añadir el agua, esta no debe sobrepasar de los remaches de las asas.

- Cuando vaya a echarse el arroz se debe avivar el fuego. El arroz (limpio, pero nunca lavado) se echará a pleno hervor del caldo, y con él se formará un surco que atraviese el diámetro del recipiente, sobresaliendo medio centímetro sobre la superficie, después se repartirá con el cucharón de madera por toda la superficie de forma igualada (los expertos no necesitan cumplir esta regla).

• Se mantendrá la cocción a fuego muy vivo durante unos 5 o 6 minutos; luego se reducirá la fuerza calórica, hasta un fuego medio.

• Pasados unos 10 minutos desde el inicio de la cocción, debe comenzar a aflorar el arroz sobre el líquido de cocción. De no ser así, es que hay un exceso de dicho líquido, por lo cual se incrementará el fuego para favorecer la ebullición.

• Si, por el contrario, el arroz comienza a aflorar antes del tiempo señalado, es indicio de que la cantidad de caldo es escasa y habrá que añadir algo más. Si es solo agua, esta llevara disuelta algo de sal, y tanto sea agua como caldo, siempre los líquidos añadidos estarán muy calientes.

• Los arroces elaborados en paella deberán reposar 5 o más minutos antes de ser servidos en los platos; se depositará el recipiente sobre el suelo, a ser posible de tierra o madera. (En los restaurantes se ha generalizado la práctica de acabar la cocción del arroz metiendo la paella en el horno, con lo cual se consigue un arroz más seco, al menos en su apariencia externa).

• Una vez distribuido el arroz por la paella, no debe removerse, solamente con la paleta cabe modificar la colocación de alguno de los ingredientes cárnicos o de los mariscos.

• Si se sigue el segundo procedimiento, como el caldo ya está calculado proporcionalmente al arroz y no hay la pérdida por evaporación del primer procedimiento, no suele haber lugar a las correcciones indicadas en párrafos anteriores.

• Por contra, en cuanto a remover el arroz, es práctica obligada en los arroces caldosos elaborados en olla, y también lo es en los *risottos,* en los cuales el caldo se va añadiendo poco a poco; vertiéndose vierte, cada vez, entre un decilitro y decilitro y medio de caldo, removiendo en el intervalo el arroz y aguardando a que el líquido anteriormente añadido haya sido absorbido por el cereal.

• Para conseguir un arroz seco y suelto, tanto se utilice una paella como una cazuela, la capa de este en el recipiente de cocción debe ser lo más delgada posible. Por ello, es una medida prudente valerse de paellas o cazuelas de diámetro algo mayor del aconsejado para un número determinado de raciones.

GRUPOS Y VARIEDADES DE ARROZ CÁSCARA

	País	Variedad	Zonas de cultivo
Arroz redondo			
	X	Balilla	Sollana y Murcia
	X	Hisparroz	Sevilla
	X	Thaiperla	Delta del Ebro y Extremadura
	X	Bomba	Valencia, Delta del Ebro y Calasparra
	X	Selenio	
Arroz medio y largo			
	X	Bahía	Valencia y Delta del Ebro
	X	Senia	Valencia, Delta del Ebro y Sevilla
	X	Fonsa	Valencia y Delta del Ebro
	X	Maso	Valencia y Delta del Ebro
	X	Tebre	Delta del Ebro
	X	Lido	Huesca
	X	Thainato	Delta del Ebro y Extremadura
	X	Guadiamar	Huesca
	X X	Arborio	
	X X	Padano	
	X X	Roma	
	X X	S. Andrea	
	X X	Loto	
Arroz largo B			
	X	Puntal	Sevilla y Extremadura
	X	Thaibonnet	Sevilla y Extremadura

NOTA: Con una sola X significa que son variedades que se cultivan en España.
Con dos XX significa que son variedades que se comercializan en Italia.

DEFINICIONES DE LOS DISTINTOS ARROCES

• **Arroz cáscara.** Es el arroz cuyos granos están provistos de su cubierta exterior o cascarilla (glumas y glumillas) después del trillado.

• **Arroz descascarillado.** Es el arroz cáscara cuyos granos han sido despojados de su cascarilla. Quedan incluidos bajo esta denominación los arroces conocidos con los nombres comerciales de «riz brun», «riz cargo», «riz loonzaín» y «riso abramato».

• **Arroz semielaborado o semiblanqueado.** Es el arroz cáscara cuyos granos han sido despojados de su cascarilla, de parte del germen y total o parcialmente de las capas externas del pericarpio, pero no de las capas internas.

• **Arroz blanqueado o elaborado.** Es el arroz cáscara del que se han eliminado la cascarilla, todas las capas externas e internas del pericarpio y el germen en su totalidad, tratándose de arroz de grano largo y de grano medio o al menos una parte en el caso de grano redondo, pero que puede presentar estrías longitudinales blancas en un 10% de los granos como máximo.

• **Arroz de grano redondo.** Es el arroz cuyos granos tienen una longitud inferior o igual a 5,2 mm y en el que la razón longitud/anchura es inferior a 2 mm.

• **Arroz de grano medio.** Es el arroz cuyos granos tienen una longitud superior a 5,2 mm e inferior o igual a 6,0 mm y en el que la razón longitud/anchura es inferior a 3 mm.

• **Arroz de grano largo.** Es el arroz cuya longitud es superior a 6,0 mm y cuya razón de longitud/anchura es superior a 2 mm e igual o superior a 3 mm.

• **Arroz partido.** Es el arroz cuyos granos están partidos y tienen una longitud igual o inferior a las tres cuartas partes de la longitud media del grano entero.

MEDICIÓN DE LOS GRANOS DE ARROZ

La medición de los granos se efectuará utilizando arroz blanco o elaborado de la siguiente forma:

• Se sacará una muestra representativa del lote.

• Se hará una selección de la muestra para manejar solo granos enteros, incluidos los granos inmaduros.

• Se efectuaran dos mediciones, de 100 granos cada una de ellas, y se calculará la media.

• Se recogerá el resultado en milímetros redondeándolo hasta un decimal.

ENSALADAS

La palabra ensalada proviene del latín *vulgar salata*, otra expresión de *herba salata*, verduras saladas. En la Roma antigua, las verduras aliñadas con aguasal eran un plato muy popular.

Una ensalada es principalmente un plato frío con hortalizas mezcladas, cortadas en trozos y aderezadas, fundamentalmente, con sal, jugo de limón, aceite de oliva y vinagre. Pueden tomarse como plato único, antes o después del plato principal e incluso como complemento para picar.

En España, las ensaladas más habituales llevan tomate, lechuga y cebolla. Cuando se aumentan los ingredientes, los más habituales suelen ser el atún en conserva (escabeche, natural o en aceite), zanahoria, huevo duro, pepino, algunas puntas de espárrago (generalmente en conserva) y el aliño anteriormente descrito, generalmente acompañado de ajos picados. Suele ser un plato frío; en todo caso tibio o combinando una mayoría de ingredientes fríos con alguno templado o caliente, pero nunca es un plato caliente en su conjunto.

Como plato que se prepara mezclando distintos alimentos, crudos o cocidos, admite, cómo no, el maravilloso grano del arroz. El arroz, por lo tanto, se convierte también en un ingrediente protagonista en las recetas de ensaladas de este libro. Por su versatilidad, porque combina extraordinariamente bien y aporta, además de sabor, importantes propiedades nutricionales.

Incluir el arroz en una ensalada resulta ser una magnífica idea para aquellos de nosotros que queremos disfrutar de la combinación armoniosa y deliciosa de este alimento.

ENSALADA
DE ARROZ Y VERDURAS

DIFICULTAD: FÁCIL  20 MINUTOS

INGREDIENTES PARA 4 PERSONAS:

» 300 gramos de arroz basmati

» 8 espárragos verdes

» 100 gramos de judías anchas, pero cortadas finas

» 100 gramos de guisantes frescos y pelados

» 8 tiras de calabacín

» 2 piezas de tomate no muy grandes

» 1 cebolleta

» 1 decilitro de aceite de oliva

» 1 cucharada de vinagre de vino

» 1 cucharada de vinagre balsámico

» Sal

» Agua

ELABORACIÓN

En un recipiente se pone el agua y la sal al fuego. Cuando empiece a hervir se le agregan todas la verduras, menos el tomate, y se dejan cocer a fuego moderado. Una vez cocidas se sacan del agua y se reservan.

En otro recipiente se pone agua a hervir, y cuando rompa se le agrega el arroz dejándolo cocer hasta que esté tierno. Una vez cocido, se cuela y se pone a refrescar debajo del grifo.

Se corta un tomate en lonchas finas y se sazona. También se reserva.

Se pica una cebolleta y el segundo tomate, se mezcla y se incorporan el aceite, los vinagres y algo de sal. Se reserva.

En un bol se mezcla el arroz con las verduras, se incorpora parte de la vinagreta y se reserva un poco de esta para la terminación del plato.

Se coloca alrededor del plato el tomate cortado y en el centro el arroz. Por encima se pone la vinagreta reservada.

NOTA:
EN LA CONFECCIÓN DE ESTE PLATO SE PUEDE UTILIZAR CUALQUIER TIPO DE ARROZ.

ENSALADA
DE ARROZ MEDITERRÁNEA

INGREDIENTES PARA 4 PERSONAS:

» 400 gramos de arroz

» 2 tomates (200 gramos)

» 1 berenjena (100 gramos)

» 1 diente de ajo

» 4 filetes de anchoa

» Perejil

» Aceite

» Vinagre

» Pimienta

» Sal

ELABORACIÓN

Se cuece el arroz en agua ligeramente salada (por cada taza de arroz, dos de agua); pasados 16 minutos, se saca del agua y se escurre. Se pone bajo un chorro de agua fría, se escurre de nuevo y se coloca en una fuente.

Por separado, se pela la berenjena, se corta en cubitos y se saltean en el aceite. Se pelan los tomates, se desmenuza su pulpa y se sofríe con el diente de ajo, los filetes de anchoa, aplastados y también desmenuzados, y el perejil picado. Se incorporan todos estos ingredientes al arroz de la fuente y se mezclan. En un recipiente aparte, se baten el aceite y el vinagre hasta formar una emulsión, que se sazona con la sal y la pimienta.

Se agrega la emulsión al arroz y a los restantes componentes de la ensalada, se mezcla y se deja refrescar y reposar.

ENSALADA
DE ARROZ Y SALCHICHAS

DIFICULTAD: FÁCIL  25 MINUTOS

INGREDIENTES PARA 4 PERSONAS:

» 400 gramos de arroz bahía

» 150 gramos de salchichas de Fráncfort

» 1 pimiento grande, colorado o verde (150 gramos)

» 3 tomates tersos (300 gramos)

» 3 puerros

» 1 manojito de albahaca

» El zumo de 1 limón

» Agua

» Aceite

» Pimienta

» Sal

ELABORACIÓN

Se cuece el arroz en agua ligeramente salada (por cada taza de arroz, dos de agua); pasados 16 minutos se saca del agua y se escurre. Se pone bajo un chorro de agua, se escurre de nuevo y se coloca en una fuente.

Se limpian el pimiento y los tomates de semillas se corta en tiritas el pimiento y en rodajas o cascos el tomate; se limpian los puerros y se cortan en rodajas; se cortan las salchichas o se dejan enteras si son de tamaño pequeño. Se incorporan al arroz y se mezclan. Se desmenuza la albahaca y se esparce sobre el conjunto.

Se bate por separado el aceite con el zumo de limón y un poco de sal y pimienta, con el batido se aliña la ensalada.

ADVERTENCIA:
SE PUEDE AGREGAR UN HUEVO
DURO CORTADO EN RODAJAS
O PICADO.

ENSALADA
DE ARROZ Y FINAS HIERBAS

DIFICULTAD: FÁCIL

 40 MINUTOS

INGREDIENTES PARA 4 PERSONAS:

» 400 gramos de arroz

» 1 manojito de perifollo

» 1 manojito de estragón

» 400 gramos de guisantes tiernos (desgranados se reducen a poco más de 80 gramos)

» 1/2 pimiento colorado en conserva

» Aceite

» Vinagre

» Sal

» Agua

ELABORACIÓN

Se cuece el arroz en agua ligeramente salada (por cada taza de arroz, dos de agua); pasados 16 minutos, se saca del agua y se escurre. Se pone bajo un chorro de agua fría, se escurre de nuevo y se coloca en una fuente.

Por separado, se desgranan los guisantes. Se pone agua a calentar, a la que se añadirá un poco de sal; cuando hierva a borbotones se incorporarán los guisantes. Necesitarán, según la calidad, una cocción de 18 minutos aproximadamente, (sacando un guisante y aplastándolo se podrá comprobar si están en el punto debido de cocción).

Se incorporan a la fuente del arroz los guisantes, el perifollo y el estragón desmenuzados y el pimiento picado. Se prepara una emulsión con el aceite y el vinagre y se vierte sobre la ensalada.

ENSALADA
DE ARROZ AÑO NUEVO
(ARROZ Y ATÚN)

DIFICULTAD: FÁCIL

 30 MINUTOS

INGREDIENTES PARA 4 PERSONAS:

» 300 gramos de arroz de grano largo

» 150 gramos de queso tipo gruyer

» 200 gramos de atún en aceite

» 100 gramos de alcachofas (conserva)

» 100 gramos de aceitunas verdes

» 2 huevos duros

» 1 limón

» Agua

» Aceite

» Pimienta

» Sal

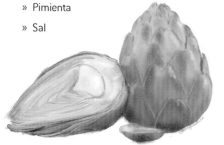

ELABORACIÓN

Se echa el arroz, limpio y sin lavar, en agua hirviendo con sal, (por cada taza de arroz, dos de agua). Cuando aún está un poco entero (por regla general, bastarán 16 minutos, dependiendo de la calidad del arroz), se saca del recipiente, se deja caer sobre él un chorro de agua fría y se deja escurrir.

En una fuente se coloca el arroz, se añaden las alcachofas cortadas por la mitad, el atún, el queso cortado en cubos pequeños y las aceitunas verdes.

Se condimenta con el aceite, el zumo de limón, la pimienta y la sal.

Se cortan los huevos duros en finas rodajas y se esparcen sobre la ensalada.

ADVERTENCIA:
LOS GRANOS DE ARROZ QUDARÁN MÁS SUELTOS SI DURANTE LA COCCIÓN SE AGREGAN ALGUNAS GOTAS DE ZUMO DE LIMÓN.

ENSALADA
DE ARROZ Y CHAMPIÑONES

DIFICULTAD: MEDIA  60 MINUTOS

INGREDIENTES PARA 4 PERSONAS:

- » 200 gramos de arroz
- » 2 berenjenas (200 gramos)
- » 200 gramos de champiñones
- » 100 gramos de espinacas frescas
- » 1 decilitro de aceite
- » El zumo de 1/2 limón
- » 1 litro de agua
- » 1 cucharada sopera de vinagre de jerez, o similar
- » Aceite para el aliño
- » 2 gramos de hojas de albahaca fresca picada
- » 10 gramos de sal gorda
- » 4 gramos de sal fina

ELABORACIÓN

Se lavan las berenjenas, se cortan en rodajas conservando la piel y se colocan en un plato cubiertas de sal gorda durante 15 minutos. Después se lavan bajo un chorro de agua, para que se desprenda la sal, se escurren y se reservan.

Mientras tanto, se limpian los champiñones, se cortan longitudinalmente y se frotan con el zumo de limón, para evitar que se ennegrezcan. Las hojas de espinaca, limpiadas previamente, se cortan en trozos pequeños.

Se calienta el litro de agua ligeramente salada, se incorpora el arroz y se cuece 16 minutos; se saca, se escurre, se refresca bajo chorro de agua y se escurre otra vez.

Se calienta el aceite en una sartén y se doran ligeramente las rodajas de berenjena, por ambos lados y a fuego muy suave; se sacan y se reservan.

Se mezclan en una fuente el arroz con las berenjenas; se añaden los champiñones y las espinacas y se aliña el conjunto con el aceite y el vinagre. Se espolvorea con las hojas de albahaca picada, y se deja en maceración durante 30 minutos. Al tiempo de servir la ensalada se rectifica de sal y se espolvorea con la pimienta.

ENSALADA
DE ARROZ Y ENCURTIDOS
(ARROZ A LA TÁRTARA)

DIFICULTAD: FÁCIL  30 MINUTOS

INGREDIENTES PARA 4 PERSONAS:

» 400 gramos de arroz de grano largo

» 4 huevos cocidos

» 8 pepinillos en vinagre picados

» 25 gramos de alcaparras

» 15 gramos de perejil picado

» 25 gramos de cebolla tierna picada

» 2 cucharadas soperas de vinagre de vino

» 1 decilitro de aceite

» 1 litro de agua

» Sal

ELABORACIÓN

Se separan las yemas de los huevos cocidos, las claras se reservan, las yemas se machacan en el mortero y se les agrega el aceite al hilo, como para obtener una mahonesa; se agregan los demás ingredientes, con excepción del arroz y las claras de huevo, y se va majando, hasta que el conjunto forme una emulsión.

Se cuece el arroz en 1 litro de agua, ligeramente salada, durante 16 minutos; se escurre, se enfría bajo un chorro de agua y se vuelve a escurrir. Después se coloca en una fuente.

Se cubre el arroz con la salsa obtenida en el mortero y se esparce sobre esta la clara de los huevos picada fina. Se rectifica de sal.

ENSALADA
DE ARROZ A LA SEVILLANA

DIFICULTAD: FÁCIL  28 MINUTOS

INGREDIENTES PARA 4 PERSONAS:

» 200 gramos de arroz de grano largo para ensalada

» 100 gramos de cebolla

» 4 cebollas tiernas

» 125 gramos de tomate fresco

» 125 gramos de pimiento rojo asado y sin piel

» 100 gramos de aceitunas sevillanas

» 2 dientes de ajo

» 1 rama de perejil fresco

» 1,25 decilitros de aceite de oliva virgen

» Vinagre al gusto

» Agua

» Sal

ELABORACIÓN

Se pone un poco de aceite en una cazuela y se fríe la cebolla picada. Cuando esté frita se incorpora el arroz, el doble de agua y la sal. Se remueve, se baja el fuego y ya no se removerá más. Estará hecho cuando el arroz haya absorbido todo el agua.

Una vez hecho y frío se coloca en una fuente y se rodea con las cebolletas, los tomates cortados en rodajas y los pimientos en tiras. Se espolvorea por encima con el perejil y los ajos picados. Se incorporan las aceitunas, se baña con el aceite, vinagre y la sal que previamente se habrán batido muy bien. Se sirve muy frío.

ENSALADA
DE ARROZ SALVAJE

DIFICULTAD: MEDIA

 40 MINUTOS

INGREDIENTES PARA 4 PERSONAS:

» 300 gramos de arroz salvaje

» 2 huevos duros

» 12 tomatitos cereza

» 1 rama de apio blanco

» 1/2 escarola rizada

» 1 cucharada de salsa de soja

» 1 cucharada de vinagre de Módena

» 1 pellizco de canela molida

» 2 latitas de atún en aceite de oliva

» 40 gramos de aceite de oliva virgen

» Sal

» Agua

ELABORACIÓN

Se pone a hervir tres veces más de agua que de arroz con un chorreón de aceite, cuando hierva, se agrega el arroz con algo de sal y se deja que hierva durante 20 minutos aproximadamente, si no estuviera cocido, se le agrega agua caliente hasta que esté cocido, pero no pasado. Se pasa por un colador, se le agrega agua fría y se escurre.

Mientras se cuece, se cortan los tomatitos por la mitad, la rama de apio en trocitos y la escarola lavada y escurrida.

En un bol se ponen los huevos duros picados, la cucharada de salsa de soja, el vinagre de Módena, el pellizco de canela, el aceite de oliva, también el aceite del atún, y algo de sal, se bate bien y se reserva. Se desmenuza el atún y se mezcla junto con el arroz y el apio con la mitad de la salsa. En una fuente se pone en el fondo la escarola, encima el arroz con los tomatitos, y a la hora de servir se le agrega el resto de la salsa por encima.

ENSALADA
DE ARROZ INTEGRAL
CON BROTES TIERNOS

DIFICULTAD: ALTA  30 MINUTOS

INGREDIENTES PARA 4 PERSONAS:

» 300 gramos de arroz integral

» 2 tomates maduros pelados y cortados en cuadritos

» 1 bolsa de brotes tiernos cortados

» 1/2 lechuga iceberg cortada en trozos pequeños

» 40 gramos de pasas de Corinto

» 1 manzana pelada y cortada en cuadritos

» 1 huevo duro cortado en cuartos

» 40 gramos de avellanas o pistachos picados

» 50 gramos de aceite de oliva virgen

» 2 cucharadas de vinagre de Jerez

» Sal

ELABORACIÓN

Se pone el arroz integral en agua fría con algo de sal en remojo unos 40 o 45 minutos.

Se pone 1,5 litros de agua con algo de sal al fuego con un chorro de aceite, cuando rompa a hervir, se agrega el arroz y se deja que hierva durante unos 20 minutos. Una vez cocido se pone en un colador bajo un chorro de agua fría hasta que se enfríe y se deja que escurra bien.

Se pone el arroz en una ensaladera o fuente con todos los ingredientes salvo el huevo y los frutos secos y se condimenta con el aceite, el vinagre y sal, y se mezcla bien. Se le agregan los frutos secos y los cuartos de huevo duro.

ENSALADA
DEL PERELLÓ

DIFICULTAD: MEDIA  30 MINUTOS

INGREDIENTES PARA 4 PERSONAS:

» 200 gramos de arroz albufera

» 500 gramos de mejillones

» 2 ramas de apio blanco

» 250 gramos de gambas pequeñas cocidas
   y peladas

» 2 cebolletas tiernas

» 1 diente de ajo

» 1 copita de vinagre de vino

» 100 gramos de aceite de oliva

» Agua

» Pimienta y sal

» Perejil

ELABORACIÓN

En abundante agua, hirviendo y salada, se cuece el arroz durante 15 minutos. Se cuecen también los mejillones, lavados cuidadosamente, poniéndolos al fuego en una sartén; a medida que las valvas se abran por el calor, se extraerán los moluscos. Se reservan algunas valvas con su molusco, que servirán para completar la decoración del plato. En una fuente honda, se colocan las gambas y los mejillones junto con el arroz. Se añade el apio cortado en trozos y se mezcla todo. El plato se espolvorea con el perejil picado.

Esta ensalada se condimenta con el siguiente aliño: se pican las cebolletas y el ajo, se añade el aceite, la sal, la pimienta y un poco de vinagre. Se bate bien con un tenedor para forma una emulsión homogénea y se baña la ensalada. Se puede poner la ensalada en el frigorífico hasta el momento de servirla.

ENSALADA
DE ARROZ CON LANGOSTINOS

DIFICULTAD: MEDIA    30 MINUTOS

INGREDIENTES PARA 4 PERSONAS:

» 300 gramos de arroz largo
» 1 pimiento rojo
» 1 pimiento amarillo
» 2 huevos
» 12 langostinos cocidos
» 100 gramos de judías bobi
» Aceite de oliva virgen
» Agua
» Vinagre
» Sal

ELABORACIÓN

Se pone un recipiente al fuego con abundante agua y algo de sal. Cuando rompa a hervir, se le agrega el arroz y se deja cocer a fuego lento procurando que no se pase. Una vez cocido, se cuela y se refresca debajo del grifo con agua fría.

Mientras el arroz cuece, ponemos una sartén con tres cucharadas de aceite y sofreímos los pimientos cortados en trocitos sin que se pasen. Se ponen a cocer también los huevos y las judías bobi por separado. Las judías deben cocerse al dente, entre 10-12 minutos, y también se cortan en trocitos. Se pelan los huevos duros y los langostinos cocidos (dejando las colas y las cabezas).

En una ensaladera se mezclan todos los ingredientes menos los langostinos y se condimenta con aceite, vinagre y sal. Por último, se decora la ensalada con los langostinos. También se puede montar en platos individuales.

ARROCES EN PAELLA

Indiscutiblemente, la paella es la reina, o la emperatriz, de los arroces; su técnica ya ha quedado descrita. No obstante, recordar que tuvo humildes orígenes, fue un preparado de arroz para los días festivos, se guisó al aire libre y se consumió directamente tomando el arroz de la paella o caldero valiéndose de cucharas de madera de boj. No se trata de una añoranza nostálgica, la paella en su ambiente rural, prescindiendo de platos y cubiertos de metal, resulta mucho más sabrosa que la del mejor restaurante.

Son imprescindibles para obtener una auténtica paella el recipiente, el arroz, el aceite y un fuego vivo, todo lo demás, el resto de los ingredientes, se nos dará por añadidura. No obstante, hay en Valencia, patria de este plato, una tradición que impone algunos determinados ingrediente con preferencia a los demás. Son los que figuran en la siguiente receta.

PAELLA
ALICANTINA

DIFICULTAD: ALTA  70 MINUTOS

INGREDIENTES PARA 6 PERSONAS:

» 600 gramos de arroz bomba

» 1 kilo y medio de pollo troceado

» 250 gramos de magro de cerdo cortado en dados

» 250 gramos de rape cortado en dados

» 1 calamar mediano

» 6 cigalas o 12 gambas

» 3 pimientos rojos o verdes

» 200 gramos de tomate triturado

» 1 litro y medio de agua

» 2 ñoras

» 2,5 decilitros de aceite

» 1 cabeza de ajos

» Unas hebras de azafrán

» Sal

ELABORACIÓN

En una paella se echa el aceite y se sofríe la cabeza de ajos y las ñoras, se reservan. A continuación se sofríe el pollo y los dados de magro; dorada la carne se retira y se reserva; se sofríen a continuación, en el mismo aceite, los pimientos cortados en tiras y se reservan; después se incorpora el tomate, junto con el calamar cortado en trozos y el rape, y se sofríe hasta que se haya consumido todo el agua del tomate.

Se cuecen las carnes de pollo y cerdo que teníamos reservadas en una olla, con 1,5 litros de agua ligeramente salada, durante 35 minutos. Mediada la cocción se añade el azafrán.

Durante la cocción de la carne, se majan en un mortero las ñoras ya frítas con un poco de sal y los ajos pelados. Se echa el arroz en la paella y se sofríe durante algo más de 1 minuto con el tomate, el calamar y el rape. Se incorpora la carne de pollo y el magro y se vierte el caldo de cocción de esta. Se distribuyen los ingredientes por el recipiente.

La cocción del arroz durará entre 18 y 20 minutos y debe embeber todo el caldo. Pasados los primeros 5 minutos, se colocarán los mariscos, convenientemente distribuidos sobre el arroz y se incorporarán las tiras del pimiento sofrito sobre la superficie. Deberá reposar entre 5 y 10 minutos antes de pasar el arroz a los platos.

PAELLA
NEGRA (ARRÒS NEGRE)

DIFICULTAD: MEDIA  45 MINUTOS

INGREDIENTES PARA 6 PERSONAS:

- » 600 gramos de arroz bomba
- » 500 gramos de chipirones (sepionets)
- » 100 gramos de cebolla
- » 1 decilitro de aceite
- » 1 litro y medio de caldo de pescado
- » 2 dientes de ajo
- » 5 gramos de pimentón
- » 3 gramos de pimienta negra
- » Sal

PARA EL CALDO

- » 1 puerro
- » 1 zanahoria
- » 1 rama de apio
- » 50 gramos de cebolla
- » 500 gramos de cabezas de rape
- » 2 litros de agua
- » Sal

ELABORACIÓN

En una olla puesta al fuego con 2 litros de agua y un poco de sal, se cuecen las verduras (la zanahoria y el puerro, cortados en rodajas) con la rama de apio y el pescado, durante 20 minutos aproximadamente. Durante la cocción, se debe eliminar la espuma. Pasado este tiempo se retira del fuego y se cuela. Se reserva.

El recipiente adecuado (paella) se pone al fuego con el aceite, y en él se sofríen los 2 dientes de ajo. Cuando comienzan a dorarse, se incorpora la cebolla picada, y cuando comience a estar transparente, se echan los chipirones.

Los chipirones estarán limpios, pero conservarán la tinta. Se sofríen con el recipiente tapado, para evitar salpicaduras, durante 5 minutos. Se evitará que se quemen los ajos, retirándolos si es preciso.

Se añade el arroz y el pimentón y se rehogan en el aceite poco más de 1 minuto.

Se añade el caldo y, 2 o 3 minutos más tarde, la pimienta. Pasados 18 minutos, los 10 primeros a fuego fuerte y los restantes reposado, se retira el recipiente del fuego. Se deja reposar al menos 5 minutos.

PAELLA
DE MARISCOS

DIFICULTAD: ALTA  90 MINUTOS

INGREDIENTES PARA 6 PERSONAS:

» 600 gramos de arroz bomba
» 300 gramos de mejillones
» 1 rape de 500 gramos
» 300 gramos de chirlas
» 300 gramos de calamares limpios
» 200 gramos de gambas roja
» 200 gramos de cigalas
» 200 gramos de tomate triturado
» 100 gramos de cebolla
» 3 dientes de ajo machacados
» 2 decilitros de aceite
» 5 gramos de pimentón
» 2 litros de agua
» Unas hebras de azafrán
» Sal

ELABORACIÓN

Se limpian los mejillones y las chirlas, se calientan hasta que se abran; se separan de sus valvas y se reservan. Se reserva también el agua de cocción.

En una cacerola, se fríen las gambas y las cigalas y se reservan, después, se echa la cebolla cortada fina, y cuando comience a estar dorada, el tomate, sofriéndose igualmente. A continuación, se añade el pimentón y se le da una vuelta rápida; por último se agrega el agua y un poco de sal, se pone a cocer para obtener el caldo. Se limpia el rape de espinas y piel y se agregan al caldo, reservando la parte comestible. Se pelan las cigalas y las gambas, se reservan las colas; las cabezas y caparazones se machacan y se añaden al caldo, junto con la cabeza de rape reservada. Se añade también el agua de cocción de los mejillones y chirlas. Se tapa la cacerola y se continúa la cocción durante 45 minutos. Después se cuela el caldo.

En una paella, se pone el 1 decilitro de aceite; se sofríen los ajos; se añaden los calamares, y el rape cortado en dados. Se incorpora el arroz y se sofríe un par de minutos. Se incorpora el caldo de pescado y se cuece a fuego vivo los primeros 10 minutos; se prueba de sal y se agrega el azafrán; se deja cociendo de 8 a 10 minutos más, hasta que el arroz esté en su punto. 5 minutos antes de terminar la cocción, se distribuyen las colas de los mariscos, las chirlas y los mejillones por la superficie del arroz. Se deja reposar la paella 5 o 6 minutos antes de servirla.

PAELLA
DE BONITO

DIFICULTAD: BAJA    30 MINUTOS

INGREDIENTES PARA 6 PERSONAS:

- » 600 gramos de arroz bomba
- » 600 gramos de bonito sin piel y cortado en trozos
- » 200 gramos de cebolla picada
- » 100 gramos de tomate rallado
- » 4 dientes de ajo picaditos
- » 1 rama de azafrán o condimento amarillo
- » 1 decilitro de aceite de oliva
- » 1 cucharada de pimentón
- » 1 litro y medio de caldo de pescado
- » 8 hebras de azafrán
- » Sal

PARA EL CALDO

- » 1 puerro
- » 1 zanahoria
- » 1 rama de apio
- » 50 gramos de cebolla
- » 500 gramos de cabezas de rape
- » 2 litros de agua
- » Sal

ELABORACIÓN

En una olla puesta al fuego con 2 litros de agua y un poco de sal, se cuecen las verduras (la zanahoria y el puerro, cortados en rodajas) con la rama de apio y el pescado, durante 20 minutos aproximadamente. Durante la cocción, se debe eliminar la espuma. Pasado este tiempo se retira del fuego y se cuela. Se reserva.

En una paella se pone el aceite al fuego, y cuando esté caliente se doran los ajos y las cebollas, se añade el tomate con el pimentón, el bonito y un toque de sal, y se sofríe durante 4 minutos.

Se añade el arroz, que se sofríe muy ligeramente, se agrega el caldo hirviendo con el azafrán, se rectifica de sal, y pasados 18 minutos ya estará seco y listo para servir.

PAELLA
DE BACALAO CON ALUBIAS

DIFICULTAD: FÁCIL  60 MINUTOS

INGREDIENTES PARA 6 PERSONAS:

» 400 gramos de arroz bomba

» 200 gramos de alubias secas

» 300 gramos de bacalao seco, cortado en trozos

» 1 decilitro de aceite de oliva

» 200 gramos de tomate triturado

» Unas ramitas de azafrán o condimento amarillo

» 15 gramos de pimentón (una cucharada)

» 1 litro y medio de caldo, del que ha salido de cocer las alubias

» 2 litros de agua

» Sal

ELABORACIÓN

Previamente se tendrán puestas a remojo, desde la víspera, las alubias con 2 litros de agua. El bacalao, igualmente, se tendrá a remojo durante 24 horas a fin de que se desale, se debe cambiar el agua 3 o 4 veces, finalmente se deja escurrir.

Se pone una cacerola con las alubias y se cubren con agua fría y sin sal, se ponen a hervir hasta que estén tiernas. Se reservan.

Se pone al fuego un recipiente adecuado (paella) con el aceite, se sofríe el bacalao y el tomate. Cuando esté bien sofrito y un momento antes de incorporar las alubias, se añade el pimentón y después el caldo de cocerlas. Cuando rompa a hervir se añade el arroz y el azafrán. Se rectifica de sal y se mantiene a fuego vivo los 10 primeros minutos y a fuego lento los 8 restantes hasta que seque el arroz.

DE CONEJO Y CARACOLES CON TRUFA NEGRA VALENCIANA

DIFICULTAD: ALTA

 70 MINUTOS

INGREDIENTES PARA 4 PERSONAS:

- » 400 gramos de arroz bomba
- » 400 gramos de conejo limpio de huesos y cortado en trozos pequeños
- » 30 gramos de trufa negra valenciana
- » 125 gramos de setas de cardo cortadas en trozos
- » 3 dientes de ajo picados
- » 2 docenas de caracoles serranos
- » 125 gramos de cebolla picada
- » 125 gramos de tomate pelado y picado
- » Vino de Jerez
- » 1,5 de aceite de oliva
- » Azafrán o condimento amarillo
- » Sal

PARA EL CALDO

- » 2 litros de agua
- » Huesos de conejo
- » Sal

ELABORACIÓN

Se ponen 2 litros de agua a cocer con los huesos del conejo y un poco de sal, se dejan cocer durante 20 minutos, una vez pasado este tiempo se cuela y se reserva.

Se hierven los caracoles con algo de sal, durante 20 minutos.

En una paella, con el aceite caliente, se dora el conejo con algo de sal y a continuación se incorporan los ajos, las setas y la cebolla. Cuando se empiece a dorar se añade el tomate y, una vez todo refrito, se incorpora el arroz, dándole una pasada por la paella. Se añade el vino de Jerez, los caracoles y el azafrán.

Se moja con el caldo reservado (la cantidad que necesite), se rectifica de sal y se agrega la trufa laminada. Se vuelve a rectificar de sal y se deja en cocción durante 18 minutos.

NOTA:
SI SE COMPRA LA TRUFA NATURAL, PARA LIMPIARLA DE TODA LA TIERRA SE USA UN CEPILLO DE DIENTES NUEVO, Y EN UN TARRO DE CRISTAL, CON TAPA, SE METE LA TRUFA Y SE CUBRE CON VINO DE JEREZ, SE GUARDA EL TARRO EN SITIO SECO HASTA QUE SE VAYA A USAR

PAELLA
DE ARROZ ROJO

DIFICULTAD: FÁCIL  35 MINUTOS

INGREDIENTES PARA 4 PERSONAS:

» 400 gramos de arroz bomba

» 400 gramos de rojos (gambas) pelados, reservando las cáscaras y cabezas

» 125 gramos de cebolla picada

» 2 dientes de ajo

» 1 pimiento choricero

» 1 ñora

» 1 cucharada de pimentón

» Azafrán o condimento

» 1 litro y medio de caldo, hecho de morralla y con las cáscaras y cabezas de los rojos

» 1,5 decilitros de aceite de oliva

» Sal

PARA EL CALDO

» 1 puerro

» 1 zanahoria

» 1 rama de apio

» 50 gramos de cebolla

» 250 gramos de morralla

» Cáscaras y cabezas de las gambas

» 2 litros de agua

» Sal

ELABORACIÓN

En una olla puesta al fuego con 2 litros de agua y un poco de sal, se cuecen las verduras (la zanahoria y el puerro, cortados en rodajas) con la rama de apio, la morralla y las cáscaras y cabezas de las gambas, durante 20 minutos aproximadamente. Durante la cocción, se debe eliminar la espuma. Pasado este tiempo se retira del fuego y se cuela. Se reserva.

En una paella o cazuela poco honda, con el aceite caliente, se fríe un poco la ñora y el pimiento choricero, se saca y se reserva.

A continuación se agregan las cabezas y las cáscaras de los rojos junto con los ajos picados y la cebolla. Se rehoga todo un poco. A continuación se sacan las cabezas para machacarlas y así poder obtener todo su jugo. Sacadas las cabezas, se agrega el arroz junto al pimentón y se moja con el caldo y el jugo que se haya obtenido de las cabezas. Se rectifica de sal y se deja cocer durante 18 minutos.

Unos minutos antes de terminar la cocción, se añade la ñora machacada junto con el azafrán y el pimiento choricero, y se ponen las colas peladas de los rojos.

PAELLA
DE VERDURA Y BACALAO

DIFICULTAD: ALTA

 45 MINUTOS

INGREDIENTES PARA 6 PERSONAS:

» 500 gramos de arroz bomba

» 250 gramos de bacalao desmigado

» 125 gramos de guisantes ya desgranados

» 125 gramos de alcachofas

» 125 gramos de coliflor

» 300 gramos de tomate

» 1,25 decilitros de aceite

» 3 dientes de ajo

» 1 litro y medio de agua

» Azafrán

» Pimentón

» Sal

ELABORACIÓN

El recipiente adecuado (paella) se pone al fuego con el aceite y en él se sofríe el bacalao desmigado y las alcachofas cortadas en cuartos, se saca y se reserva.

Se agrega la coliflor muy desmenuzada, los tomates limpios de piel y semillas también desmenuzados y los ajos cortados finos y se sofríen todos estos ingredientes. A punto de concluir el sofrito (unos 7 minutos) se agrega el pimentón que se sofreirá revuelto con los demás ingredientes otro minuto.

Se añade el agua y los guisantes. Cuando rompa a hervir el agua se agrega el arroz y se distribuye con de un cucharón de madera por el recipiente de forma igualada, e inmediatamente se añade el bacalao, las alcachofas y el azafrán. Se rectifica de sal.

Se cuece el arroz durante 18 o 20 minutos. Los 8 primeros a fuego fuerte y el resto a fuego más flojo. Debe reposar 5 minutos como mínimo antes de servirlo.

NOTA:
UNA PAELLA QUE, EN VALENCIA, SE SOLÍA COCINAR DURANTE LA CUARESMA.

PAELLETA

DIFICULTAD: MEDIA

 60 MINUTOS

INGREDIENTES PARA 6 PERSONAS:

- » 400 gramos de arroz bomba
- » 250 gramos de magro de cerdo
- » 250 gramos de costillas de cerdo
- » 200 gramos de tomate
- » 110 gramos de pimiento verde
- » 400 gramos de alcachofas pequeñas y tiernas
- » 1 decilitro de aceite
- » Unas hebras de azafrán
- » 5 gramos de pimentón
- » 2 dientes de ajo
- » 1 ramita de perejil
- » 1 litro y medio de agua
- » Sal

ELABORACIÓN

Se preparan los ingredientes cortando los tomates y los pimientos, quitándoles semillas; las alcachofas en cuartos, después de quitarles sus hojas más duras y la carne en trozos pequeños.

Se calienta el aceite en el recipiente adecuado (paella), se agrega el magro y las costillas, se sofríen y se reservan; se sofríen los ajos enteros y se reservan; por último se sofríe el tomate y los pimientos 5 o 6 minutos, después se añade el pimentón, se revuelve con el resto del sofrito y se rehoga otro minuto.

Se majan los ajos en un mortero, junto con el perejil, y se agregan al sofrito. Se añaden los cuartos de alcachofa, que se rehogan un minuto, y se echa el agua calentada previamente, se incorpora el magro y las costillas de inmediato. Se deja que la carne y hortalizas se cuezan a fuego medio durante 30 minutos; mediada la cocción, se añade la sal y el azafrán.

Se echa el arroz y se distribuye por la paella; deberá cocer 10 minutos a fuego fuerte y después continuar 8 o 10 minutos más a fuego medio. Se dejar reposar 5 minutos antes de servirlo.

PAELLA
MAR Y TIERRA

DIFICULTAD: ALTA  80 MINUTOS

» 600 gramos de arroz bomba

» 1/2 pollo de kilo y medio

» 6 salchichas

» 150 gramos de lomo de cerdo

» 500 gramos de langosta

» 6 langostinos

» 12 mejillones

» 150 gramos de calamares

» 150 gramos de rape

» 25 gramos de guisantes ya desgranados

» 2 alcachofas

» 1 cebolla grande

» 300 gramos de tomate

» 2 decilitros de aceite

» 3 dientes de ajo

» Unas hebras de azafrán

» 3 gramos de pimienta negra

» 2 litros (tanto puede ser de carne, como de pescado o a partes iguales)

» Sal

ELABORACIÓN

En una cacerola se ponen los mejillones y se mantienen al vapor hasta que se abran. Una vez abiertos se les quita la cáscara y se reservan.

En una paella, se coloca el aceite y en él se doran los calamares; las salchichas; los langostinos pelados y sin cabeza y la langosta, cortada su carne a cubos, y ya todos los ingredientes dorados, se reservan en una cazuela.

En el mismo aceite se sofríe el pollo deshuesado por completo y cortado en trozos muy pequeños, y el lomo de cerdo cortado en dados, cuando estos ingredientes comienzan a tomar color se añaden los corazones de las alcachofas cortados en dados, la cebolla cortada fina y los ajos picados, se rehoga el conjunto; a continuación se incorporan los tomates desmenuzados y se van sofriendo con los restantes ingredientes. Se añade el arroz y se remueve durante 1 minuto con el sofrito, se distribuye por todo el recipiente de forma igualada. Se le agrega el caldo.

Cuando el caldo comience a hervir, se le incorporaran los calamares, las salchichas, los langostinos y la langosta, los mejillones, los guisantes y el rape cortado en dados.

Pasados 8 o 9 minutos se añade el azafrán, se rectifica de sal y pimienta y se baja el fuego. 10 minutos más tarde el arroz deberá estar en su punto y se retira el recipiente del fuego. Se dejará reposar por lo menos 5 minutos antes de servirlo.

PAELLA
CON POLLO Y ATÚN

DIFICULTAD: FÁCIL  40 MINUTOS

INGREDIENTES PARA 6 PERSONAS:

» 300 gramos de arroz bomba

» 500 gramos de pollo

» 200 gramos de atún fresco

» 2 decilitros de aceite de oliva

» 1 pimiento rojo

» 2 ñoras

» 150 gramos de tomate triturado

» 4 dientes de ajo picaditos

» Unas hebras de azafrán o condimento amarillo

» 2 litros y medio de agua

» Sal

ELABORACIÓN

Se calienta el aceite en la paella, se sofríen los ajos y las ñoras y se reservan. Se limpia el pollo y se trocea, se corta el atún en trozos sin piel y a continuación se fríen los trozos de pollo agregando un poco de sal. Sin retirar la carne, se incorpora a la cazuela el tomate triturado, el pimiento cortado en trocitos, el atún, el agua, el arroz y el azafrán o condimento amarillo (poco).

Se sazona al punto, se le agregan los ajos y las ñoras reservados machacados y se deja a hervir durante 18 minutos.

PAELLA
VALENCIANA CLÁSICA

DIFICULTAD: ALTA   55 MINUTOS

- » 1 pollo mediano cortado en trozos
- » 400 gramos de arroz bomba
- » 1 decilitro de aceite
- » 125 gramos de tomates maduros rallado
- » 150 gramos de judías anchas
- » 125 gramos de garrofones
- » 12 caracoles de monte, purgados y limpios
- » 8 hebras de azafrán
- » 1 cucharada de pimentón dulce
- » 1 litro y medio de agua
- » Sal

ELABORACIÓN

Se pone la paella al fuego con el aceite y cuando esté muy caliente se sofríe el pollo hasta que esté dorado. Se incorpora el tomate rallado. Se sofríe, a fuego bajo, durante 8 o 10 minutos; se sazona ligeramente. Cuando el sofrito ya esté casi terminado, se incorpora el pimentón, y se sofríe sin que se queme.

Se añade agua, aproximadamente, hasta los bordes de los remaches de las asas de la paella. La cocción de la carne será entre 20 y 35 minutos en función de la consistencia de la misma.

10 minutos antes de terminar la cocción, se agregan las verduras (judías y garrofones), para que queden al dente. Si los garrofones no fueran tiernos, se ponen en remojo el día anterior y se cuecen en agua con sal. También es el momento de agregar los caracoles. Se añade agua caliente, para reponer la que se haya evaporado, y se deja que la ebullición continúe durante 3 o 4 minutos. Se incorporan las hebras de azafrán, se rectifica de sal y se deja en ebullición 5 minutos más.

Cuando la paella esté a pleno hervor se echará el arroz, que se distribuye por el recipiente de forma igualada. Deberá cocer 5 o 6 minutos a fuego vivo y después entre 12 y 15 minutos, se irá rebajando el calor paulatinamente.

Terminada la cocción, el arroz debe quedar seco y prácticamente suelto.

PAELLA
RIOJANA

DIFICULTAD: ALTA

 50 MINUTOS

INGREDIENTES PARA 6 PERSONAS:

» 500 gramos de arroz bomba
» 500 gramos de carne de cordero lechal
» 150 gramos de tocino de jamón
» 150 gramos de chorizo
» 100 gramos de cebolla
» 200 gramos de salsa de tomate
» 1 decilitro de aceite
» 2 litros de agua
» Sal

ELABORACIÓN

En un recipiente adecuado, paella, se calienta el aceite y se sofríe el tocino de jamón cortado en dados. A continuación se agrega la carne del cordero cortada en pequeños pedazos y se dora en el aceite.

Se añade la cebolla muy picada, se va elaborando el sofrito removiéndolo, se añade el cordero, el chorizo cortado en rodajas de un centímetro de espesor, y por último la salsa de tomate.

Se vierte el agua en la paella, se deja cocer la carne y demás ingredientes durante 15 minutos.

Pasados los 15 minutos, se agrega el arroz, se distribuye por el recipiente y se deja cocer por espacio de 18 a 20 minutos, hasta que absorba el caldo de cocción. Se deja reposar la paella 5 o 6 minutos antes de servirla.

PAELLA
DE BACALAO Y CEBOLLA

DIFICULTAD: MEDIA    50 MINUTOS

INGREDIENTES PARA 8 PERSONAS:

» 800 gramos de arroz bomba

» 1,5 decilitro de aceite

» 1 kilo de bacalao en salazón

» 3 kilos de cebollas

» 500 gramos de tomates maduros

» 1 cucharada de pimentón

» 3 litros de agua

» 8 hebras de azafrán

» Sal

ELABORACIÓN

En una paella se pone el aceite y, a fuego mediano se sofríen las cebollas trinchadas. Al dorarse se añade el bacalao, desalado desde el día anterior, escurrido totalmente y desmenuzado en migas. Cuando esté rehogado se incorpora el tomate troceado. Sofrito el tomate, se baja el fuego y se sofríe levemente el arroz, procurando que se rehogue todo. Se sofríe el pimentón, sin que llegue a quemarse, se añade agua caliente, la justa para que cueza el arroz sin que se pase ni se quede duro y el azafrán. A los 5 minutos de hervor se prueba de sal, pues el bacalao, a pesar de estar desalado, siempre conserva sal. Tras los 10 primeros minutos a fuego fuerte y 8 minutos a fuego lento se apaga y se deja reposar 5 o 6 minutos.

PAELLA
VEGETARIANA

DIFICULTAD: MEDIA  55 MINUTOS

INGREDIENTES PARA 4 PERSONAS:

» 400 gramos de arroz bomba

» 1,5 decilitros de aceite de oliva

» 300 gramos de coliflor, cortada en trozos

» 150 gramos de tomate, pelado y picado

» 1 pimiento rojo cortado en tiras

» 1 pimiento verde cortado en tiras

» 1 manojo de espárragos verdes cortados en trozos

» 1 berenjena pequeña cortada en rodajas

» 1 calabacín pequeño cortado en trozos

» 3 dientes de ajo

» 2 alcachofas cortadas en cuartos

» 1 litro y cuarto de agua

» 1 pellizco de azafrán en rama o condimento alimentario amarillo

» Sal

ELABORACIÓN

Se pone el aceite en la paella, y cuando esté caliente se fríen las alcachofas, las rodajas de berenjenas, el tomate y las tiras de pimientos y se reservan. A continuación se incorporan los ajos picados y, antes de que se doren, se añade la coliflor, el calabacín y los espárragos verdes, con un poco de sal, y se sofríen durante 10 minutos.

Seguidamente se agrega el agua, y cuando empiece a hervir se añade el azafrán y el arroz, que se deja cocer a fuego fuerte durante 10 minutos y otros 8 a fuego moderado. Unos 4 minutos antes del final se ajusta a gusto de sal y se decora con las tiras de pimientos rojos, las rodajas de berenjenas y las alcachofas. Se deja reposar durante 5 minutos.

PAELLA
VALENCIANA

DIFICULTAD: ALTA

 55 MINUTOS

INGREDIENTES PARA 4 PERSONAS:

» 400 gramos de arroz bomba

» 800 gramos de pollo troceado

» 500 gramos de conejo troceado

» 1 docena de caracoles cocidos

» 150 gramos de garrofones

» 100 gramos de judías verdes planas

» 100 gramos de ferraura

» 150 gramos de tomate maduro rallado

» 1,5 decilitros de aceite de oliva

» 2 litros de agua

» 6 gramos de pimentón dulce

» 1 pellizco de azafrán o 5 gramos
de condimento amarillo

» 2 dientes de ajo picados

» Sal

ELABORACIÓN

En primer lugar, se sala el pollo y el conejo y se reserva. En una paella se pone a calentar el aceite y cuando esté caliente se incorpora el pollo y el conejo reservado y se fríe muy lentamente. Una vez que la carne esté dorada se añaden los garrofones, las judías verdes y las de ferraura y se sofríen al menos un par de minutos.

A continuación se le añaden los ajos picados, el pimentón y el tomate rallado.

Seguidamente se añade el agua y se deja cocer durante unos 10 minutos y se prueba el punto de sal.

Pasado ese tiempo, se añade el azafrán y el arroz y se reparte por toda la paella, se deja cocer a fuego muy vivo durante 10 minutos más. A continuación incorporamos los caracoles, se baja la intensidad del fuego y se mantiene así durante otros 8 minutos más. La típica y auténtica paella valenciana estará lista para degustar.

ARROZ
A BANDA

DIFICULTAD: MEDIA  50 MINUTOS

INGREDIENTES PARA 4 PERSONAS:

» 400 gramos de arroz bomba
» 1 kilo y medio de pescado de roca (escorpena, gallineta, serranos, etc.)
» 300 gramos de cebolla
» 100 gramos de tomate rallado
» 300 gramos de patatas
» 100 gramos de tomate rallado
» 2 hojas de laurel
» 1 cabeza de ajos cortada por la mitad
» 1,5 decilitros de aceite
» 6 gramos de pimentón
» 1 litro y medio de agua
» 8 hebras de azafrán
» Sal

ELABORACIÓN

Se pone en un recipiente el agua a calentar, ligeramente salada, junto con las hojas de laurel. Mientras, por separado, en la mitad del aceite se sofríe la cebolla, las patatas y los ajos desmenuzados; cuando el sofrito tenga color, se le añade la mitad del pimentón, que se sofríe un minuto y medio. Se pasa el sofrito al agua caliente y se deja cocer esta entre 30 y 40 minutos.

Se limpia el pescado y se corta; se incorpora al caldo cuando este lleve ya más de 30 minutos de cocción. Cuando el pescado esté cocido, se retiran las hojas de laurel; se cuela el caldo y se reservan las hortalizas y el pescado.

En el recipiente adecuado, la paella, se coloca el resto del aceite, en él se sofríe el tomate y el resto del pimentón; pasados 7 u 8 minutos, se agrega el arroz, que también se sofríe un minuto y medio o dos minutos más, sin permitir que se queme.

Se vierte en la paella un litro del caldo colado en que se coció el pescado y se lleva a ebullición durante 10 minutos; pasados estos, se agrega el azafrán, se baja la intensidad calórica y se dejar hervir durante 9 o 10 minutos más. Se retira la paella del fuego y se deja reposar, antes del servicio, al menos 5 minutos más.

ARROZ
CON BOGAVANTE

 50 MINUTOS

INGREDIENTES PARA 4 PERSONAS

- » 400 gramos de arroz bomba
- » 1 bogavante y medio cortado en trozos (incluidas las pinzas, que se golpearán para romper la coraza)
- » 1 cucharada de pimentón
- » 1 decilitro de aceite
- » 100 gramos de tomate picado
- » 2 dientes de ajo picado
- » Azafrán
- » Sal

PARA EL CALDO

- » 1 puerro
- » 1 zanahoria
- » 1 rama de apio
- » 50 gramos de cebolla
- » 500 gramos de cabezas de rape
- » 2 litros de agua
- » Sal

ELABORACIÓN

En una olla puesta al fuego con 2 litros de agua y un poco de sal, se cuecen las verduras (la zanahoria y el puerro, cortados en rodajas) con la rama de apio y el pescado, durante 20 minutos aproximadamente. Durante la cocción, se debe eliminar la espuma. Pasado este tiempo se retira del fuego y se cuela. Se reserva.

Para preparar el caldo se pone una olla al fuego con litro y medio de agua, las galeras y los cangrejos y se deja hervir unos 18 minutos, pasado este tiempo se retira del fuego y se cuela. Reservar.

En una paella se pone el aceite a calentar y se incorpora el bogavante, una vez rehogado se agrega el ajo y el arroz. Se sofríe todo, se le pone el pimentón, el tomate y la sal. A continuación se añade el caldo, el azafrán y se deja hervir durante 10 minutos a fuego fuerte, se le baja el fuego durante otros 10 minutos hasta que esté seco.

ARROZ
DE LANGOSTINOS
A NUESTRO ESTILO

DIFICULTAD: FÁCIL  50 MINUTOS

INGREDIENTES PARA 4 PERSONAS:

- » 400 gramos de arroz bomba
- » 150 gramos de sepia cortada en trocitos
- » 350 gramos de colas de langostinos
- » 100 gramos de tomate frito
- » 1 cucharadita de azafrán
- » 1 manojo de espárragos verdes cortados en trozos
- » 1 decilitro de aceite
- » 1 manojo de ajetes cortados en trozos
- » 1 cucharada de pimentón
- » 8 hebras de azafrán
- » Sal

PARA EL CALDO:

- » 250 gramos de morralla
- » 500 gramos de rape
- » 2 litros de agua

ELABORACIÓN

Se pone la morralla y el rape en un recipiente con el agua al fuego, se deja hervir unos 18 minutos, pasado este tiempo se retira del fuego, se cuela y se reserva.

En una paella se echa el aceite y se agrega la sepia picada, a continuación los ajetes y los espárragos; una vez sofritos, se añade el pimentón y el tomate, a continuación se incorporan los langostinos y el arroz. Se sofríe todo y se le agrega el caldo del pescado, la sal y el azafrán. Se tienen hirviendo a fuego fuerte durante 10 minutos, luego se rebaja a fuego lento hasta que esté cocido y bien seco.

DE PESCADO Y VERDURA ALBUFERA

DIFICULTAD: MEDIA    50 MINUTOS

INGREDIENTES PARA 4 PERSONAS

- » 400 gramos de arroz bomba
- » 150 gramos rape cortado en dados
- » 100 gramos de almejas
- » 100 gramos de calamares cortados en trozos
- » 100 gramos de alcachofas pasadas por limón
- » 100 gramos de judías verdes cortadas en tiras
- » 100 gramos de calabacín cortado en tiras
- » 100 gramos de pimiento verde en trozos
- » 100 gramos de tomate frito o rallado
- » 2 dientes de ajo
- » 1 decilitro de aceite
- » Sal
- » 8 hebras de azafrán

PARA EL CALDO

- » 500 gramos de morralla o cabezas de rape
- » 2 litros de agua

ELABORACIÓN

En una olla puesta al fuego con 2 litros de agua y los 500 gramos de cabezas de rape o morralla se deja hervir unos 18 minutos, pasado este tiempo se retira del fuego y se cuela. Se reserva.

En una paella se pone aceite a calentar, una vez caliente se incorporan los ajos y las verduras, se rehoga todo y se añaden el resto de los ingredientes. A continuación se sofríe el arroz, minutos después el azafrán, el tomate y se echa el caldo, se deja cocer durante 10 minutos a fuego fuerte, se prueba de sal y se mantiene 8 minutos más a fuego lento.

ARROZ
DE RODABALLO
CON BOQUERONES

DIFICULTAD: FÁCIL  45 MINUTOS

INGREDIENTES PARA 4 PERSONAS:

- » 400 gramos de arroz bomba
- » 250 gramos de rodaballo en trozos
- » 500 gramos de boquerones gordos limpios de espinas
- » 100 gramos de tomate frito o rallado
- » 1 decilitro de aceite
- » 2 dientes de ajo
- » 1 cucharada de pimentón
- » Azafrán
- » Sal

PARA EL CALDO:

- » 500 gramos de morralla o cabezas de rape
- » 2 litros de agua

ELABORACIÓN

En una olla puesta al fuego con 2 litros de agua y las cabezas de rape o morralla se deja hervir unos 18 minutos, pasado este tiempo se retira del fuego y se cuela. Reservar.

En una paella se pone el aceite, cuando esté caliente, se agregan los trozos de rodaballo, los ajos y a continuación el arroz, que se sofríe un poco.

Se pone el pimentón y el tomate, se moja con el caldo del pescado, se agrega el azafrán y se hierve durante 10 minutos a fuego fuerte. A continuación se baja el fuego y se agregan los boquerones, se pone a punto de sal, 10 minutos más tarde ya se habrá secado y estará listo para servir.

ARROZ
CON VIEIRAS

DIFICULTAD: FÁCIL   40 MINUTOS

INGREDIENTES PARA 4 PERSONAS:

- » 400 gramos de arroz bomba
- » 12 vieiras limpias
- » 200 gramos de jamón serrano en dados pequeños
- » 1 pimiento rojo previamente asado y sin piel
- » 100 gramos de tomate natural picado
- » 100 gramos de cebolla picada
- » 2 dientes de ajo
- » 1 litro de caldo de pescado
- » 1 cucharada de perejil picado
- » Azafrán
- » 1 cucharada de pimentón
- » 1 decilitro de aceite de oliva
- » Sal

PARA EL CALDO

- » 1 puerro
- » 1 zanahoria
- » 1 rama de apio
- » 50 gramos de cebolla
- » 500 gramos de cabezas de rape
- » 2 litros de agua
- » Sal

ELABORACIÓN

En una olla puesta al fuego con 2 litros de agua y un poco de sal, se cuecen las verduras (la zanahoria y el puerro, cortados en rodajas) con la rama de apio y el pescado, durante 20 minutos aproximadamente. Durante la cocción, se debe eliminar la espuma. Pasado este tiempo se retira del fuego y se cuela. Se reserva.

En una paella con el aceite se añade el ajo, la cebolla, el jamón y el tomate. Se sofríe bien y se añaden las vieiras. Se agrega el arroz y se sofríe todo. Se añade el pimentón, el azafrán y el caldo de pescado hirviendo. Se pone a punto de sal y se incorpora el pimiento asado en trocitos. Un poco antes de apartar el arroz del fuego, se incorpora el perejil picado.

PAELLA
ALBUFERA

DIFICULTAD: MEDIA  40 MINUTOS

INGREDIENTES PARA 4 PERSONAS:

» 400 gramos de arroz bomba
» 150 gramos de rape cortado en dados
» 100 gramos de calamares cortados a trozos
» 100 gramos de guisantes
» 100 gramos de cebolla picada
» 1 manojo de ajetes tiernos
» 100 gramos de tomate frito
» 1 litro y medio de caldo de pescado
» 2 dientes de ajo
» 1 decilitro de aceite de oliva
» 1 cucharada de pimentón dulce
» Azafrán

PARA EL CALDO

» 1 puerro
» 1 zanahoria
» 1 rama de apio
» 50 gramos de cebolla
» 500 gramos de cabezas de rape
» 2 litros de agua
» Sal

ELABORACIÓN

En una olla puesta al fuego con 2 litros de agua y un poco de sal, se cuecen las verduras (la zanahoria y el puerro, cortados en rodajas) con la rama de apio y el pescado, durante 20 minutos aproximadamente. Durante la cocción, se debe eliminar la espuma. Pasado este tiempo se retira del fuego y se cuela. Se reserva.

En una paella se pone el aceite a calentar. Una vez caliente se incorpora el ajo y las verduras y se rehogan; se añaden los calamares y el rape. Se agrega el arroz y se sofríe 2 minutos; a continuación se pone el pimentón, el azafrán, el tomate frito y el caldo. Se deja cocer 10 minutos a fuego fuerte y otros 8 minutos a fuego lento. Cuando se vea que el arroz está seco se degustará una excelente paella.

PAELLA
DE CARABINEROS

DIFICULTAD: MEDIA

 35 MINUTOS

INGREDIENTES PARA 4 PERSONAS:

» 400 gramos de arroz bomba

» 400 gramos de carabineros

» 4 dientes de ajo picaditos

» 1 decilitro de aceite de oliva

» 100 gramos de tomate triturado

» 1 litro y medio de caldo de pescado

» 15 gramos de pimentón (una cucharada)

» Azafrán o condimento amarillo

» Sal

PARA EL CALDO

» 1 puerro

» 1 zanahoria

» 1 rama de apio

» 50 gramos de cebolla

» 500 gramos de cabezas de rape

» 2 litros de agua

» Sal

ELABORACIÓN

Para preparar el caldo, en una olla puesta al fuego con 2 litros de agua y un poco de sal, se cuecen las verduras (la zanahoria y el puerro, cortados en rodajas) con la rama de apio y el pescado, durante 20 minutos aproximadamente. Durante la cocción, se debe eliminar la espuma. Pasado este tiempo se retira del fuego y se cuela. Se reserva.

En un recipiente adecuado, paella, se pone el aceite a calentar, cuando esté caliente se incorporan, enteros, los carabineros sazonados. Se agregan los ajos y el arroz y se sofríe todo. A continuación se pone el pimentón y el tomate, se sofríe otro poco. Se sacan los carabineros y se reservan. Se añade el caldo y se deja hervir durante 10 minutos a fuego fuerte, se pone el azafrán, se rectifica de sal y se le baja el fuego durante 8 minutos hasta que quede seco el arroz. Finalmente se decora la paella con los carabineros reservados.

PAELLA MIXTA
TÍPICA DE BENIDORM

DIFICULTAD: MEDIA    50 MINUTOS

INGREDIENTES PARA 4 PERSONAS:

» 300 gramos de arroz bomba

» 250 gramos de pollo

» 100 gramos de garbanzos cocidos

» 8 piezas de gambas

» 200 gramos de mejillones

» 125 gramos de judías verdes

» Medio pimiento rojo

» 2 dientes de ajo

» 125 gramos de tomate rallado

» 1 ñora

» 2 litros de agua

» 1,5 decilitro de aceite de oliva

» Perejil

» Sal

ELABORACIÓN

En una paella, con el aceite caliente, se dora el pollo previamente sazonado. Se incorpora el pimiento rojo en trozos, junto con las judías y el tomate rallado. Cuando todo el conjunto esté sofrito se moja con 2 litros de agua caliente y se pone a punto de sal.

Se incorpora el arroz y se deja hervir durante 10 minutos y se agregan los garbanzos cocidos, las gambas junto con los mejillones, que se habrán cocido al vapor, incluyendo la parte de la cáscara que contiene el mejillón. En ese momento se agrega el majado que habremos preparado con la ñora, los ajos y el perejil. Se rectifica de sal y se deja cocer todo junto durante 8 minutos aproximadamente.

ARROZ
CON JUDÍAS PINTAS

DIFICULTAD: MEDIA  45 MINUTOS

INGREDIENTES PARA 4 PERSONAS:

» 300 gramos de arroz bomba
» 500 gramos de atún fresco
» 150 gramos de judías pintas frescas
» 2 ñoras
» 2 dientes de ajo
» 125 gramos de tomate maduro rallado o picado sin piel
» 1 pimiento rojo cortado en dados pequeños
» 1,5 decilitro de aceite oliva
» 1,5 litros de caldo de morralla
» Azafrán o condimento
» Sal

PARA EL CALDO

» 1 puerro
» 1 zanahoria
» 1 rama de apio
» 50 gramos de cebolla
» 500 gramos de cabezas de rape
» 2 litros de agua
» Sal

ELABORACIÓN

Para preparar el caldo, en una olla puesta al fuego con 2 litros de agua y un poco de sal, se cuecen las verduras (la zanahoria y el puerro, cortados en rodajas) con la rama de apio y el pescado, durante 20 minutos aproximadamente. Durante la cocción, se debe eliminar la espuma. Pasado este tiempo se retira del fuego y se cuela. Se reserva.

En una paella al fuego, con el aceite caliente, se sofríen las ñoras y se reservan. Lo mismo se hace con los ajos. En el mismo aceite se rehogan las judías troceadas, el tomate y el pimiento. Se incorpora el arroz y se rehoga. A continuación se añade el caldo caliente previamente preparado.

Con algo de caldo, los ajos, el azafrán, las ñoras y un pellizco de sal, se prepara un majado que se incorpora a media cocción, 9 minutos aproximadamente, junto con el atún fresco previamente cortado en trozos. Se rectifica de sal. Tiempo de cocción, 18 minutos.

ARROZ
DE MARISCO PELADO
CON LANGOSTA

DIFICULTAD: MEDIA  40 MINUTOS

INGREDIENTES PARA 4 PERSONAS:

- » 400 gramos de arroz bomba
- » 100 gramos de langostinos pelados
- » 100 gramos de gambas peladas
- » 2 langostas pequeñas partidas por la mitad
- » 1 decilitro de aceite
- » 2 dientes de ajo
- » 100 gramos de tomate frito
- » 1 cucharada de pimentón
- » Azafrán
- » Sal

PARA EL CALDO

- » 1 puerro
- » 1 zanahoria
- » 1 rama de apio
- » 50 gramos de cebolla
- » 500 gramos de cabezas de rape
- » 2 litros de agua
- » Sal

ELABORACIÓN

Para preparar el caldo, en una olla puesta al fuego con 2 litros de agua y un poco de sal, se cuecen las verduras (la zanahoria y el puerro, cortados en rodajas) con la rama de apio y el pescado, durante 20 minutos aproximadamente. Durante la cocción, se debe eliminar la espuma. Pasado este tiempo se retira del fuego y se cuela. Se reserva.

En una paella se pone el aceite, cuando esté caliente, se fríen las medias langostas solo por la parte carnosa y se reservan. En el mismo aceite se echan los ajos, los langostinos y las gambas, se sofríen y se agregan el pimentón, el tomate y el azafrán.

Se añade el arroz y el doble de caldo, se agregan las langostas, se ponen a punto de sal se deja hervir hasta que haya cocido. Se sirve bien seco.

PAELLA
DE MARISCO
RÍAS DE GALICIA

DIFICULTAD: ALTA    50 MINUTOS

INGREDIENTES PARA 4 PERSONAS:

» 400 gramos de arroz bomba

» 4 cigalas

» 4 gambas

» 150 gramos de calamar

» 150 gramos de mejillones

» 2 dientes de ajo

» 100 gramos de cebolla picada

» 100 gramos de tomate natural picado

» 1 litro de caldo de pescado

» 1 decilitro de aceite de oliva

» Azafrán

» Sal

PARA EL CALDO

» 1 puerro

» 1 zanahoria

» 1 rama de apio

» 50 gramos de cebolla

» 500 gramos de cabezas de rape

» 2 litros de agua

» Sal

ELABORACIÓN

Para preparar el caldo, en una olla puesta al fuego con 2 litros de agua y un poco de sal, se cuecen las verduras (la zanahoria y el puerro, cortados en rodajas) con la rama de apio y el pescado, durante 20 minutos aproximadamente. Durante la cocción, se debe eliminar la espuma. Pasado este tiempo se retira del fuego y se cuela. Se reserva.

En una olla puesta al fuego con 2 litros de agua y la morralla se deja hervir unos 18 minutos, pasado este tiempo se retira del fuego y se cuela. Se reserva.

En una paella mediana se pone el aceite. Se saltean las cigalas y las gambas, se retiran y se reservan. Se limpia el calamar, cortando las patas y las alas en rodajas finas. Se saltea con el mismo aceite que el marisco y se añade la cebolla y el ajo. Cuando esté a punto se añade el tomate y los mejillones. Seguidamente el arroz se rehoga un poco y se moja con el caldo de pescado caliente.

Cuando arranque a hervir se pone azafrán y sal a gusto. Se coloca el marisco por encima.

ARROZ
DE «EL SENYORET»

DIFICULTAD: FÁCIL  30 MINUTOS

INGREDIENTES PARA 4 PERSONAS:

- » 400 gramos de arroz bomba
- » 200 gramos de rape
- » 150 gramos de sepia o calamares
- » 150 gramos de gambas peladas
- » 1,5 decilitros de aceite oliva
- » 150 gramos de tomate frito
- » Azafrán en rama o condimento amarillo
- » 1 litro y medio de caldo de pescado
- » Sal

PARA EL CALDO

- » 1 puerro
- » 1 zanahoria
- » 1 rama de apio
- » 50 gramos de cebolla
- » 500 gramos de cabezas de rape
- » 2 litros de agua
- » Sal

ELABORACIÓN

Para preparar el caldo, en una olla puesta al fuego con 2 litros de agua y un poco de sal, se cuecen las verduras (la zanahoria y el puerro, cortados en rodajas) con la rama de apio y el pescado, durante 20 minutos aproximadamente. Durante la cocción, se debe eliminar la espuma. Pasado este tiempo se retira del fuego y se cuela. Se reserva.

En una paella al fuego, con el aceite caliente, se agrega el rape junto con la sepia troceada, seguidamente se incorpora el arroz y el tomate frito. A continuación se añade el caldo caliente y el azafrán.

A media cocción, 9 minutos aproximadamente, se le agregan las gambas y se rectifica de sal. Cocción del arroz, 18 minutos.

NOTA:
LOS INGREDIENTES, PESCADOS Y MARISCOS, SE PUEDEN CAMBIAR PERO SIEMPRE DEBEN ESTAR PELADOS. ESTA RECETA DE ARROZ SE LLAMA EL *SENYORET* PORQUE A LA HORA DE DEGUSTARLO NO SE ENCONTRARÁ EN EL ARROZ NI ESPINAS DE PESCADO NI CÁSCARAS DE MARISCOS.

PAELLA
DE JAMÓN FRESCO CON ROBELLONES Y ALCACHOFAS

DIFICULTAD: FÁCIL  45 MINUTOS

INGREDIENTES PARA 4 PERSONAS:

» 400 gramos de arroz bomba

» 1/2 kilo de robellones (bien limpios
  y cortados en tiras)

» 500 gramos de alcachofas

» 3 dientes de ajo picado

» 125 gramos de cebolla picada

» 700 gramos de cerdo cortado en trocitos

» 1 decilitro de aceite de oliva

» 1 litro y medio de agua

» 100 gramos de tomate rallado

» Azafrán

» 1 limón

» 1 cucharada de pimentón

» Sal

ELABORACIÓN

En una paella se pone el aceite. Cuando esté caliente se agrega el magro. Se incorporan los ajos, la cebolla, las alcachofas cortadas en cuatro trozos pasadas por limón y los robellones. Se sazona todo incorporando el pimentón, el azafrán y el tomate rallado. A continuación, se pone el agua dejándola hervir durante 10 minutos. Se pone a gusto de sal, se incorpora el arroz y se deja cocer durante 10 minutos a fuego fuerte y 8 minutos más a fuego lento.

PAELLA
DE COCOCHAS
DE BACALAO Y CASTAÑAS

DIFICULTAD: MEDIA  35 MINUTOS

INGREDIENTES PARA 4 PERSONAS:

» 400 gramos de arroz bomba

» 150 gramos de cocochas de bacalao saladas

» 100 gramos de castañas peladas congeladas

» 1 litro de caldo de pescado

» 100 gramos de tomate fresco picado

» 1 decilitro de aceite

» 3 dientes de ajo

» 1 cebolla

» 1 cucharada de pimentón

» Azafrán

PARA EL CALDO

» 1 puerro

» 1 zanahoria

» 1 rama de apio

» 50 gramos de cebolla

» 500 gramos de cabezas de rape

» 2 litros de agua

» Sal

ELABORACIÓN

Para preparar el caldo, en una olla puesta al fuego con 2 litros de agua y un poco de sal, se cuecen las verduras (la zanahoria y el puerro, cortados en rodajas) con la rama de apio y el pescado, durante 20 minutos aproximadamente. Durante la cocción, se debe eliminar la espuma. Pasado este tiempo se retira del fuego y se cuela. Se reserva.

En una paella con el aceite al fuego, se incorpora el ajo, la cebolla y el tomate. A continuación se añaden las castañas (puestas en remojo desde el día anterior). Se incorporan las cocochas saladas, que se habrán desalado previamente en agua. A continuación se incorpora el pimentón, el arroz, el azafrán y el caldo de pescado hirviendo, dejar cocer durante 10 minutos a fuego fuerte y 8 a fuego lento. Poner a punto de sal.

ARROCES CALDOSOS Y SOPAS

Aunque por tradición para las sopas y arroces caldosos se utilizaron los pucheros, en especial los de barro, para alguno de ellos no existe ninguna dificultad, ni la diferencia es apreciable, si se utiliza una cacerola metálica. Ahora bien, si se utiliza puchero o cazuela de barro, el fuego será de una intensidad más baja. La cantidad de arroz en las sopas se fija en 50 gramos por ración; en los arroces caldosos 75 gramos como máximo. El arroz se incorporará cuando el caldo esté hirviendo. Se remueve para que se reparta por todo el recipiente y se reaviva el fuego unos instantes; después se baja la intensidad hasta concluir la cocción.

La cocción de un arroz, en definitiva, depende de su variedad botánica y de las características del agua empleada (en especial de la presencia de calcio); en consecuencia, la dificultad de todos estos arroces radica en vigilar la cocción, de forma que no se exceda y los granos lleguen a reventar.

[1] Es una regla fundamental en la cocción de los alimentos en agua la temperatura de esta en el momento de incorporar los ingredientes: si se trata de obtener un buen caldo, los ingredientes se agregarán cuando el agua aún está fría; por el contrario, si se trata de conseguir que los ingredientes estén sabrosos (caso del arroz), estos se añadirán en el momento de la ebullición.

SOPA
DE ARROZ Y PUERRO

DIFICULTAD: FÁCIL

 35 MINUTOS

INGREDIENTES PARA 6 PERSONAS:

» 300 gramos de arroz bahía

» 6 puerros grandes

» 2 litros de caldo de ave (pollo o gallina)
  o de verduras

» 50 gramos de queso rallado

» 30 gramos de mantequilla

» 0,5 decilitros de aceite

» Sal

ELABORACIÓN

Se quita a los puerros el extremo de las raíces; las hojas externas más duras y la parte verde y se corta en pequeñas rodajas la parte blanca y tierna. Se lavan muy bien, se escurren y se limpian con un paño.

Se meten en una cacerola en frío, junto con la mantequilla y el aceite; se calienta la cacerola hasta que las rodajas de puerro se doren ligeramente por ambos lados y se les añade una pizca de sal.

Se añaden los 2 litros de caldo y se calienta el conjunto en el recipiente cerrado, hasta llegar al punto de ebullición, que se mantendrá durante 20 minutos, a fuego lento.

Se añade el arroz, sin lavar y con el recipiente abierto. Se hace hervir el conjunto durante 5 minutos a fuego vivo y 10 más a fuego lento, durante los cuales se remueve con un cucharón de madera.

Finalizada la cocción se apaga el fuego y se deja reposar la sopa 3 o 4 minutos. La sopa debe quedar espesa; y, ya en los platos, se le agrega el queso rallado.

ARROZ
CON CALLOS DE TERNERA

DIFICULTAD: ALTA  80 MINUTOS

INGREDIENTES PARA 4 PERSONAS:

» 300 gramos de arroz bahía o senia

» 1 kilo de callos de ternera

» 150 gramos de chorizo picante

» 150 gramos de jamón

» 150 gramos de tocino fresco

» 3 morcillas de cebolla

» 1 decilitro de aceite

» 1 guindilla

» Agua a discreción

» 1 hoja de laurel

» Sal

ELABORACIÓN

Limpios los callos y frotados con limón, después de cortarlos en trozos regulares, se ponen a cocer en una olla con 2 litros agua ligeramente salada y con la hoja de laurel por espacio de unos 30-40 minutos, dependiendo de la olla.

En una sartén se calienta el aceite y se sofríen el jamón muy picado, el chorizo cortado en rajas gruesas, el tocino en pequeños trozos, la morcilla cortada longitudinalmente y en cuartos y la guindilla también picada.

Se pasa todo el contenido de la sartén a la olla donde se cuecen los callos y después de levantar el hervor, se continúa la cocción durante 30 minutos.

Se rectifica de sal y se añade el arroz, que deberá cocer unos 18 minutos más. Este arroz con callos se sirve muy caliente y sin necesidad de dejarlo reposar.

SOPA
DE ARROZ Y VERDURAS

DIFICULTAD: FÁCIL  35 MINUTOS

INGREDIENTES PARA 4 PERSONAS:

» 200 gramos de arroz bahía o senia
» 2 manojo de remolachas pequeñas
» 1 manojo de espinacas
» 1 lechuga grande
» 1 puerro
» Apio
» 1 manojito de perejil
» Unas ramitas de albahaca
» 1 zanahoria mediana
» 75 gramos de cebolla tierna mediana
» 75 gramos de patata mediana
» 40 gramos de queso rallado
» 2 litros de caldo de ave
» 0,25 decilitros de aceite
» Pimienta
» Sal

PARA EL CALDO

» 1 kilo y medio de caparazones de pollo o de gallina
» 2 litros de agua

ELABORACIÓN

Ponemos en una olla con 2 litros de agua los caparazones y los dejamos cocer a fuego lento, durante 20 minutos aproximadamente. Durante la cocción, se debe eliminar la espuma. Pasado este tiempo se retira del fuego y se cuela. Se reserva.

Se pica finamente el puerro, junto con la cebolla, la albahaca, el perejil, el apio y la zanahoria. Se pelan la patata y las remolachas y se cortan en dados. Se limpian las espinacas y la lechuga y también se cortan en pequeños trozos.

Se vierte en una cacerola el aceite, se calienta, se incorpora la patata y la remolacha y se rehoga, sin permitir que se fría. A continuación se incorporarán el resto de verduras; se rehogan también y se les agregan los 2 litros de caldo de ave. Cuando el caldo rompa a hervir, se añade la pimienta y, si es preciso, se rectifica de sal.

Cuando las verduras estén casi deshechas, se sacan de la cacerola, se pasan por el tamiz para triturarlas por completo y se devuelven al caldo de cocción.

Se incorpora el arroz (limpio, pero no lavado) y continúa la cocción durante 16 minutos más, o el tiempo necesario para que el arroz quede al dente.

Se sirven los platos de sopa y si se desea, se esparce sobre estos el queso rallado.

SOPA
DE ARROZ Y ALMEJAS

DIFICULTAD: FÁCIL  35 MINUTOS

INGREDIENTES PARA 6 PERSONAS:

» 300 gramos de arroz bahía o senia
» 1 kilo de almejas grandes
» 200 gramos de cebolla
» 1,5 decilitros de aceite
» 1 hoja de laurel
» 1 ramito de perejil
» 2 litros de agua
» Sal

ELABORACIÓN

En una sartén con agua se incorporan las almejas limpias de arena, que deberán cocerse hasta que se abran, y se reservan.

Se calienta el agua, ligeramente salada y aromatizada con la hoja de laurel; cuando comience a hervir, se incorpora el arroz al recipiente de cocción, que deberá cocer entre 18 y 20 minutos.

En una sartén se calienta el aceite y se rehoga la cebolla previamente picada y el perejil. Después se pasa el contenido al recipiente donde ha cocido el arroz, se rectifica de sal si es preciso, y se incorporan también las almejas (con o sin sus conchas, según se prefiera). Se remueve el guiso, se le da un rápido golpe de fuego fuerte y se retira, para ser servida.

ARROZ
CALDOSO DE PESCADO

DIFICULTAD: MEDIA

 45 MINUTOS

INGREDIENTES PARA 4 PERSONAS:

» 300 gramos de arroz bahía o senia
» 1 o 2 cabezas de rape
» 1 o 2 cabezas de dorada, hasta completar al menos 1,5 kilos
» 200 gramos de cebolla
» 100 gramos de tomate
» 1,5 decilitros de aceite
» 4 dientes de ajo
» 5 gramos de pimentón
» 2 litros de agua
» 1 hoja de laurel
» 1 ramita de perejil
» 1 limón
» Unas hebras de azafrán
» Sal

ELABORACIÓN

Se cuecen en una olla, en agua ligeramente salada, las cabezas de los pescados, entre 20 y 25 minutos a fuego lento; se sacan; se aprovecha y desmenuza la carne que puedan llevar adherida, se reserva y se desecha el resto.

En una cacerola se elabora un sofrito con la cebolla finamente cortada y los ajos también cortados; se incorporan al sofrito el tomate triturado y el perejil. Después se añade el pimentón, que se rehoga ligeramente, y se mezcla con los demás ingredientes. Se añade el arroz y se sofríe durante 2 o 3 minutos, evitando que se fría.

Se agrega el caldo de la olla previamente colado; se añaden la hoja de laurel, los pedazos de carne de las cabezas que se reservaron y el zumo de limón, y se prolonga la cocción del arroz de 18 a 20 minutos. A mitad de la cocción se añaden unas hebras de azafrán.

ADVERTENCIA:
EL PESCADO PUEDE SER MUY DIVERSO. TODAS LAS ESPECIES SON UTILIZABLES, PERO DEBEN PREFERIRSE LOS PESCADOS DE ROCA POR SER LOS MÁS SABROSOS Y POR RAZONES ECONÓMICAS; AQUELLOS QUE, POR TENER MAYOR CANTIDAD DE ESPINAS, NO TIENEN ACEPTACIÓN PARA FRITURAS U OTROS GUISOS.

ARROZ
«ES CARRANC»

DIFICULTAD: FÁCIL  35 MINUTOS

INGREDIENTES PARA 4 PERSONAS:

- » 200 gramos de arroz bahía o senia
- » 1 buey de mar
- » 4 gambas sin pelar
- » 125 de sepia cortada en trozos
- » 100 gramos de tomate maduro pelado y picado
- » 100 gramos de cebolla picada
- » 1,5 decilitro de aceite de oliva
- » 1,750 litros de caldo de pescado
- » 8 hebras de azafrán en rama o una cucharada de condimento amarillo
- » 1 guindilla pequeña
- » 1 cucharada pequeña de pimentón dulce
- » Sal

PARA EL CALDO

- » 1 puerro
- » 1 zanahoria
- » 1 rama de apio
- » 50 gramos de cebolla
- » 500 gramos de cabezas de rape
- » 2 litros de agua
- » Sal

ELABORACIÓN

Para preparar el caldo, en una olla puesta al fuego con 2 litros de agua y un poco de sal, se cuecen las verduras (la zanahoria y el puerro, cortados en rodajas) con la rama de apio y el pescado, durante 20 minutos aproximadamente. Durante la cocción, se debe eliminar la espuma. Pasado este tiempo se retira del fuego y se cuela. Se reserva.

En una olla puesta al fuego, con 2 litros de agua, se agregan los cangrejos y las galeras dejándolos cocer durante 10 minutos a fuego moderado. Reservar.

En una cazuela de barro honda, con el aceite caliente, se incorporan la sepia y la cebolla. Cuando empiecen a dorarse se agrega el tomate y se sofríe incorporando la guindilla y el pimentón. Rápidamente se moja con el caldo hecho anteriormente, para que no se queme el pimentón. Se añade algo de sal y el azafrán o condimento amarillo.

Cuando rompa a hervir se le agregan el buey de mar cortado en cuatro trozos, las gambas sin pelar y también el arroz, dejándolo todo cocer durante 15 minutos y 3 de reposo.

MENESTRA
DE ARROZ

DIFICULTAD: ALTA

 65 MINUTOS

INGREDIENTES PARA 4 PERSONAS:

» 250 gramos de arroz bahía o senia
» 50 gramos de jamón
» 50 gramos de tocino
» 300 gramos de tomate triturado
» 200 gramos de patatas
» 1 calabacín
» 200 gramos de judías verdes tiernas
» 1 diente de ajo
» 2 zanahorias pequeñas
» 1 tallo de apio
» 1 ramita de perejil
» 1 repollo pequeño
» Agua
» Sal

ELABORACIÓN

Se cortan las patatas, el calabacín, las zanahorias y las judías verdes en trozos pequeños. Se echan todas las hortalizas en una olla. Se agrega el tomate tritura-do y se cubre con abundante agua, a la que se añade una pizca de sal. Se lleva a punto de ebullición a fuego fuerte y después se baja a fuego lento para que conti-núe la cocción agregándole el tocino, el ajo, el perejil, el tallo de apio y el jamón.

Pasados 30 minutos se añade el repollo cortado en ti-ras y 10 minutos más tarde el arroz, limpio y sin lavar, que debe cocer junto con los demás ingredientes 18 minutos más (el arroz debe quedar al dente).

PUCHERO
DE ARROZ

DIFICULTAD: ALTA  120 MINUTOS

INGREDIENTES PARA 6 PERSONAS:

» 200 gramos de arroz bahía o senia

» 250 gramos de carne de cerdo

» 50 gramos de tocino

» 125 gramos de costillas de cerdo

» 100 gramos de codillo de cerdo

» 2 litros de agua

» 200 gramos de garbanzos

ELABORACIÓN

Los garbanzos se ponen en remojo la noche anterior. Se pone un puchero al fuego con el agua caliente, así que rompa a hervir y se añade la carne, el tocino, el codillo, las costillas y los garbanzos. Deberá cocer sin parar de una hora y media a dos horas, pasadas las cuales, y cuando veamos el caldo blanco, se incorpora el arroz. Una vez cocido ya estará listo para servir.

Se saca la carne, se corta y se sirve en una fuente aparte.

ARROZ
CALDOSO CON PULPO
Y ROBELLONES

DIFICULTAD: MEDIA  40 MINUTOS

INGREDIENTES PARA 4 PERSONAS:

- » 200 gramos de arroz bahía o senia
- » 1 kilo de pulpo cocido en trozos
- » 700 gramos de robellones cortados en trocitos
- » 125 gramos de cebolla picada
- » 100 gramos de tomate fresco picado
- » 1 decilitro de aceite
- » 1 cucharada de pimentón
- » 2 litros de agua
- » 3 dientes de ajo picados
- » Sal
- » Azafrán

ELABORACIÓN

Se pone al fuego una cacerola con el aceite. Una vez caliente se agrega el ajo picado, el tomate, los robellones y la cebolla. Una vez rehogado se incorpora el pulpo en trozos y se incorpora el pimentón. Se añade el agua y se dejar hervir durante 10 minutos, poniendo el punto de sal. Se agrega el arroz, el azafrán y se deja hervir durante 18 minutos.

ARROZ
CON PULPO

DIFICULTAD: FÁCIL

 40 MINUTOS

INGREDIENTES PARA 4 PERSONAS:

» 400 gramos de arroz bahía o senia

» 2 kilos de pulpo

» 200 gramos de cebolleta fresca

» 125 gramos de tomate natural picado

» 1 pimiento rojo

» 1 cucharada de pimentón

» 1 decilitro de aceite

» Azafrán

» Sal

ELABORACIÓN

Se pone a cocer el pulpo. Una vez cocido se trocea y se reserva. En una cazuela con aceite, se rehoga la cebolla, el pimiento, los tomates, el pimentón, el azafrán y el pulpo. Se remueve constantemente para que no se pegue. Una vez dorado, se agrega un poco de agua de cocer el pulpo y se deja todo en el fuego durante unos minutos, agregándole más agua. Cuando esté todo a punto se sazona a gusto y se le añade el arroz.

ARROZ
CON PERDICES

DIFICULTAD: ALTA  55 MINUTOS

INGREDIENTES PARA 6 PERSONAS:

» 300 gramos de arroz bahía o senia

» 300 gramos de alubias blancas, puestas a remojo el día anterior

» 3 perdices cortadas en cuartos

» 500 gramos de panceta fresca cortada en trozos

» 2 manitas de cerdo cortadas en rodajas

» 1 rabo de cerdo

» 150 gramos de hueso de jamón o costillas de cerdo saladas

» 2 litros de agua

» Sal

ELABORACIÓN

Se pone al fuego una olla con 2 litros de agua, las manitas, la panceta, el rabo de cerdo y el hueso de jamón o las costillas saladas. Se deja hervir durante 30 minutos.

A continuación se agregan las perdices y las alubias, y a media cocción, se rectifica de sal y se añade el arroz. Se deja hervir durante 18 minutos.

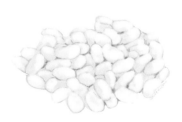

CALDERO MURCIANO

DIFICULTAD: ALTA    60 MINUTOS

INGREDIENTES PARA 4 PERSONAS:

- » 400 gramos de arroz bahía o senia
- » 500 gramos de mero
- » 500 gramos de lisa (mújol)
- » 500 gramos de gallineta o escorpena
- » 500 gramos de rape
- » 2 ñoras
- » 3 cabezas de ajos
- » 200 gramos de tomates maduros
- » 2,5 decilitros de aceite
- » 1 yema de huevo
- » 3 gramos de pimienta
- » 2 litros de agua
- » Sal

ELABORACIÓN

En un caldero metálico (recipiente parecido a la paella, de fundición, pero de mayor fondo y menos diámetro) se calienta la mitad del aceite, cuando esté muy caliente se fríen las ñoras y se retiran; se agregan las cabezas de ajos, se fríen y se retiran también, por último y en el mismo aceite, se sofríen los tomates, previamente picados o triturados. A continuación se vierten sobre el sofrito de los tomates 2 litros de agua.

Se pica las ñoras y una de las cabezas de ajos fritos en el mortero, se incorpora el picadillo al caldero cuando el agua se halle hirviendo.

Pasados 5 minutos, se echan los pescados al caldero, limpios, desespinados y cortados en rodajas. Se rectifica de sal y dejamos cocer durante 10 minutos aproximadamente. Cocidos los pescados se retiran y se reservan en un lugar caliente. También se retira y se reserva una taza de caldo. Se añade el arroz y se deja cocer 20 minutos a fuego lento.

Se maja la segunda cabeza de ajos, se mezcla con el caldo reservado en la taza y se vierte sobre las rodajas de pescado.

Se maja la tercera cabeza de ajos junto con la yema de huevo y el aceite restante y se cuaja un alioli. Se sirven por separado el arroz y el pescado. El alioli acompaña a ambos platos indistintamente.

ARROZ
CALDOSO A LA GADITANA

DIFICULTAD: FÁCIL  40 MINUTOS

INGREDIENTES PARA 4 PERSONAS:

» 200 gramos de arroz bahía

» 1 cabeza grande de merluza

» 125 gramos de cebolla

» 1,750 litros de agua

» 1 decilitro de aceite

» 1 limón

» 1 diente de ajo

» 1 hoja de laurel

» 1 ramita de perejil

ELABORACIÓN

Se cuece la cabeza de merluza, después de que esté bien limpia, en agua y sal por espacio de 20 minutos. Aparte, en una sartén con el aceite, se sofríe el laurel, la cebolla, el diente de ajo picado y el perejil. Todo frito se echa al caldo de la cabeza de merluza, se retira esta y se separa toda su carne.

Se hierve el arroz en el caldo, y transcurridos 15 minutos, se añade la carne obtenida de la cabeza y el zumo de limón colado.

ARROZ CON ACELGAS (ARRÒS AMB BLEDES)

DIFICULTAD: MEDIA

 90 MINUTOS

INGREDIENTES PARA 4 PERSONAS:

» 250 gramos de arroz bahía o senia
» 250 gramos de acelgas
» 100 gramos de garrofones (judiones)
» 100 gramos de patatas
» 100 gramos de tomate
» 12 caracoles serranos (o de otra especie, pero de buen tamaño)
» 1 decilitro de aceite
» 2 dientes de ajo
» 1,5 litros de agua
» Azafrán
» Pimentón
» Sal

ADVERTENCIA:
EN LUGAR DE ACELGAS TAMBIÉN SUELEN EMPLEARSE ESPINACAS.

ELABORACIÓN

Se lavan, escurren y cortan las acelgas; se mondan las patatas y se cortan en pedazos pequeños; se pelan los ajos y se dejan enteros.

Se pone a cocer los garrofones (si se utilizan judías secas, estas se habrán puesto a remojo la víspera) en el agua; preferiblemente en cazuela de barro, que permite mantener una cocción más prolongada a fuego lento.

En una sartén se doran los dientes de ajo, se incorporan las acelgas y se rehogan 5 o 6 minutos sin que se fríen; se añade el pimentón, que se mezcla y se sofríe 1 minuto junto con el tomate rallado. Se agrega el contenido de la sartén al agua donde cuece la legumbre.

Pasados 30 minutos, se incorpora la patata, se rectifica de sal y se añade, en su caso, el azafrán. La cocción continuará 20 minutos más.

Se añade el arroz y los caracoles (los cuales se habrán purgado y limpiado la víspera), se remueve el conjunto y se deja cocer alrededor de 18 minutos más. Este arroz debe servirse de inmediato, muy caliente.

ARROCES AL HORNO

Antiguamente no había hornos en las casas, por lo que para hacer este tipo de arroces se llevaban al horno del barrio. Muchos de estos arroces son con carne, y algunos de los más famosos se elaboran con sobras del puchero.

ARROZ
CON LACÓN

DIFICULTAD: FÁCIL  35 MINUTOS

INGREDIENTES PARA 4 PERSONAS:

» 250 gramos de arroz senia
» 125 gramos de jamón
» 250 gramos de lacón desalado
» 150 gramos de judías blancas cocidas
» 150 gramos de tomate maduro pelado, exprimido y picado
» 1 decilitro de aceite oliva
» 1,5 litros de caldo de ave
» Unas ramas de perejil
» 8 hebras de azafrán o condimento amarillo
» Sal

PARA EL CALDO

» 1 kilo y medio de caparazones de pollo o de gallina
» 2 litros de agua

ELABORACIÓN

Ponemos en una olla con 2 litros de agua los caparazones y los dejamos cocer a fuego lento, durante 20 minutos aproximadamente. Durante la cocción, se debe eliminar la espuma. Pasado este tiempo se retira del fuego y se cuela. Se reserva.

Se pone en una cazuela de barro o de hierro el aceite. Se fríe el lacón, cortado en trozos pequeños, y cuando esté a medio freír se le añade el jamón cortado a cuadritos; y luego el tomate, continuando con la fritura.

Antes de mojarlo se le incorpora el arroz junto con los demás ingredientes, se revuelve con una espumadera y se deja durante un par de minutos, seguidamente se moja con el caldo previamente calentado.

Cuando comience a hervir, se le añaden las judías, el azafrán o condimento amarillo y el perejil picado. Se mantiene al fuego durante 12 minutos y 6 minutos más al horno a 200°. Se rectifica de sal antes de meter al horno.

ARROZ DORADO (ARRÓS ROSSEJAT)

DIFICULTAD: MEDIA  60 MINUTOS

INGREDIENTES PARA 6 PERSONAS:

- » 600 gramos de arroz senia
- » 300 gramos de garbanzos
- » 100 gramos de tocino entreverado de cerdo
- » 200 gramos de magro de cerdo
- » 2 morcillas de cebolla
- » 50 gramos de chorizo (optativo)
- » 75 gramos de tomate triturado
- » 2 decilitros de aceite
- » 6 gramos de pimentón
- » Azafrán
- » Sal
- » 2 litros de agua

ADVERTENCIA:
EL ORIGEN DE ESTE ARROZ FUE PARA APROVECHAR LOS RESTOS DEL COCIDO, TANTO LA CARNE, COMO LOS GARBANZOS, COMO EL CALDO.

ELABORACIÓN

En una olla con 2 litros de agua se cuecen los garbanzos (que se habrán mantenido a remojo desde la víspera), el magro y el tocino cortado en dados en agua ligeramente salada, antes de finalizar se agregan unas hebras de azafrán. Cuando los garbanzos estén tiernos, se da por concluida la cocción. Reservar el caldo.

En una sartén se calienta el aceite y se sofríe el tomate y el pimentón (los que gustan de incluir ajo en todos sus guisos, pueden agregar un par de dientes de ajo, picados o cortados finos). Se agrega el arroz, el chorizo cortado a pequeñas rodajas y las morcillas cortadas longitudinalmente y se sofríen también, sin que se frían.

Se pasa el sofrito a una cazuela de barro adecuada para horno, se añade el caldo de la cocción de los garbanzos y la carne, se rectifica de sal y se añaden otras pocas hebras de azafrán.

Se pasa la cazuela al horno (200 °C), donde permanecerá durante 20 minutos. Se deja reposar 5 minutos más antes de su servicio.

ARROZ AL HORNO (ARRÒS AL FORN)

DIFICULTAD: MEDIA

 60 MINUTOS

INGREDIENTES PARA 4 PERSONAS:

» 400 gramos de arroz senia
» 125 gramos de garbanzos
» 200 gramos de patatas
» 300 gramos de tomates
» 4 morcillas de cebolla cortada por la mitad
» 4 trozos de panceta
» 1 cabeza de ajos entera
» 2 dientes de ajo sueltos
» 1 decilitro de aceite
» 1,5 litros de agua o de caldo de cocido
» Unas hebras de azafrán
» Sal

ELABORACIÓN

Se cuecen los garbanzos (que se habrán mantenido en remojo al menos durante 12 horas) en agua ligeramente salada hasta que estén tiernos. Al final de la cocción se rectifican de sal y se les añade unas hebras de azafrán.

En una sartén se obtiene un sofrito con la mitad de los tomates y 2 dientes de ajo. A continuación se añade la patata, cortada en rodajas, y la cabeza de ajos y se sofríen también. Se agrega el arroz, que se sofríe también, con el debido cuidado para que no se queme. Se pasa el sofrito, incluido el arroz y los garbanzos, a una cazuela de barro adecuada para el horno. Se añade el agua o caldo de cocido; se rectifica de sal y se añaden unas hebras más de azafrán. Se distribuye el arroz por toda la cazuela, en el centro se coloca la cabeza de ajos y la panceta, la morcilla y los tomates que no se utilizaron en el sofrito partidos en rodajas, se colocan alrededor de forma decorativa.

Se pasa al horno, que deberá estar a 200 ℃, se mantiene durante 20 minutos. Se deja reposar 5 minutos antes de su servicio.

ARROZ
A LA PAMPLONESA

DIFICULTAD: MEDIA  40 MINUTOS

INGREDIENTES PARA 4 PERSONAS:

- » 400 gramos de arroz senia
- » 75 gramos de cebolla picada
- » 2 pimientos secos
- » 2 dientes de ajo
- » 4 alcachofas
- » 100 gramos de guisantes frescos desgranados
- » 125 gramos de bacalao desalado
- » 100 gramos de tomate rallado
- » 1 cucharada de pimentón
- » 1,5 litros de agua
- » 1,5 decilitros de aceite de oliva
- » Perejil
- » Laurel
- » Tomillo
- » Azafrán
- » Sal

ELABORACIÓN

En una cacerola o cazuela de barro puesta al fuego y con el aceite caliente se rehoga la cebolla, los pimientos secos, los ajos, las alcachofas limpias y cortadas en cuartos, los guisantes frescos, el bacalao desmenuzado, un poco de tomillo y una hoja de laurel.

Cuando todo esté sofrito, se agrega el tomate rallado o picado, un poco de perejil también picado y a continuación el arroz.

Se rehoga bien y se añade el pimentón. Seguidamente se incorpora el agua hirviendo junto con unas hebras de azafrán, y se deja cocer durante 10 minutos a fuego fuerte.

Se rectifica de sal y se mete al horno, caliente, a 200°, durante 8 minutos. Es un arroz seco.

ARROZ
DE JUEVES LARDERO

DIFICULTAD: FÁCIL   35 MINUTOS

INGREDIENTES PARA 4 PERSONAS:

» 400 gramos de arroz senia
» 1 manita de cerdo
» 1/2 morro de cerdo
» 100 gramos de rabo de cerdo
» 125 gramos de cebolla
» 150 gramos de tomate picado
» 2 huevos
» 2 cucharaditas de azúcar
» 1,5 decilitros de aceite de oliva
» 2 litros de agua
» 3 dientes de ajos picados
» Perejil

ELABORACIÓN

Se pone el aceite en una cacerola, se calienta y se echa en él la manita de cerdo, el morro y el rabo, todo cortado en trozos. Se rehoga ligeramente y se le agregan la cebolla trinchada, el tomate, tres dientes de ajo picados y el perejil y se deja freír lentamente.

Cuando esté bien rehogado, se añade el arroz, se sofríe, se añade el agua caliente, se sazona con sal y se deja cocer durante 15 minutos. Pasado este tiempo, se le añaden los huevos batidos y las dos cucharaditas de azúcar y se mete en el horno durante 5 o 6 minutos. Después se sirve.

ARROZ CON COSTRA

DIFICULTAD: ALTA 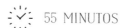 55 MINUTOS

INGREDIENTES PARA 6 PERSONAS:

- » 600 gramos de arroz senia
- » 400 gramos de carne de pollo
- » 400 gramos de magro de cerdo
- » 2 chorizos
- » 2 morcillas de carne
- » 6 huevos
- » 125 gramos de tomate rallado
- » 2 blanquets (embutidos de cerdo blancos muy grasos)
- » 250 gramos de garbanzos (previamente cocidos)
- » 1,5 decilitros de aceite
- » 2 litros de agua
- » Unas ramitas de perejil
- » 8 hebras de azafrán
- » Sal

ADVERTENCIA:
DE ESTE ARROZ EXISTEN MUCHAS VARIANTES, YA QUE SE PUEDE AÑADIR TODA CLASE DE INGREDIENTES, COMO TERNERA, ALBÓNDIGAS E INCLUSO MARISCO, AUMENTANDO LA DIFICULTAD DE LA ELABORACIÓN. LA RECETA OFRECIDA ES DE LAS MÁS SENCILLAS Y BARATAS.

ELABORACIÓN

En una sartén se calienta el aceite, se sofríe el pollo cortado en trozos más bien pequeños y el magro cortado en dados, se agrega el tomate y se sofríe también. Se saca el sofrito de la sartén y se pasa a un recipiente con el agua donde cocemos el pollo y el magro unos 15 o 20 minutos (dependerá de su calidad).

El aceite de la sartén se pasa a una cazuela para horno, se sofríen los embutidos, cortados y se incorporan los garbanzos cocidos, que se sofríen durante un par de minutos; se agrega el pollo, el magro y el caldo en que cocieron, en cantidad del doble de caldo que de arroz. Se distribuye el arroz por la cazuela de forma uniforme.

El arroz cocerá durante 15 minutos. Mediada la cocción se rectificará de sal y se añade el azafrán. Mientras tanto, se baten los huevos con el perejil picado. Se vierte el batido sobre la superficie de la cazuela y se pasa a horno a 200 °C para que en 5 o 6 minutos se forme la corteza dorada que da nombre a este arroz.

ARROZ
CON MEJILLONES

DIFICULTAD: FÁCIL  40 MINUTOS

INGREDIENTES PARA 4 PERSONAS:

» 300 gramos de arroz senia
» 24 mejillones grandes
» 200 gramos de cebolla
» 200 gramos de tomate triturado
» 300 gramos de mantequilla
» 1 decilitro de aceite
» 1 ramita de perejil
» 1,250 litros de caldo de pescado
» Pimienta
» 4 hebras de azafrán
» Sal

PARA EL CALDO

» 1 puerro cortado en rodajas
» 1 zanahoria cortada en rodajas
» 1 rama de apio
» 50 gramos de cebolla cortada
» 500 gramos de cabezas de rape
» 2 litros de agua
» Sal

ELABORACIÓN

En una olla puesta al fuego con 2 litros de agua y un poco de sal, se cuecen las verduras con la rama de apio y el pescado, durante 20 minutos aproximadamente. Durante la cocción, se debe eliminar la espuma. Pasado este tiempo se retira del fuego y se cuela. Se reserva.

Se limpian bien los mejillones. Se echan en una cazuela grande, sin agua, y se calientan; a medida que van abriéndose, se sacan los moluscos con un tenedor. Se les quita una valva, que se desecha, y se reserva la otra; se colocan en una fuente y se salpimientan. Por separado, se reserva el agua que hubieran soltado.

Se derrite la mantequilla en una sartén; se añade el aceite y se mezclan. Se incorpora la cebolla picada y se sofríe, cuando esté dorada, se añade el tomate y se sofríe a fuego lento, durante unos 10 minutos. Cuando la salsa se haya reducido un poco, se agrega el arroz y se remueve con el conjunto durante un 1 o 2 minutos.

Se incorpora el caldo de pescado y el agua reservada de los mejillones; pasados 5 minutos se agrega el azafrán disuelto en un poco de agua caliente y se rectifica de sal; se cuece el arroz 10 minutos más, se agrega el perejil picado y se retira del fuego.

Se toman las valvas reservadas, se rellenan con una capa de arroz, encima el molusco y se recubren con arroz; se rocían con un poco de aceite y se pasan al horno (180 ºC) en una fuente refractaria, donde concluirá la cocción durante 10 minutos más.

ARROZ
ALZIREÑA (SIGLO XVI)

DIFICULTAD: ALTA

 90 MINUTOS

INGREDIENTES PARA 4 PERSONAS:

» 400 gramos de arroz senia
» 250 gramos de garbanzos, a remojo desde la noche anterior
» 1 mano de cerdo cortada en 6 pedazos
» 1 butifarra de cebolla
» 150 gramos de cebolla picada
» 1 rama de apio
» 4 dientes de ajo
» 3 litros de agua
» Sal

PARA LAS ALBONDIGUILLAS:

» 200 gramos de carne magra de cerdo picada
» 60 gramos de tocino salado picado
» 100 gramos de migas de pan
» 2 huevos duros rallados
» Sangre de pollo, suficiente para realizar las bolas (como para albóndigas)
» Harina, un poco para ayudar a compactar las bolas
» Una pizca de canela en polvo
» Sal

ELABORACIÓN

En primer lugar se confeccionan las bolas de carne mezclando todos los ingredientes hasta conseguir una pasta consistente y moldeándolas, se reservan.

Un recipiente adecuado, puede ser una olla o una cacerola honda, se pone al fuego con los 3 litros de agua, la mano de cerdo y la butifarra de cebolla.

Cuando empiece a hervir se incorporan los garbanzos, la rama de apio y las bolas de carne reservadas. Cuando estén cocidas se sacan se dejan enfriar, se cortan en rodajas y se reservan. El caldo de cocción también se reserva.

En otra cazuela de barro, adecuada para el horno 1,5 litros de agua, se rehoga el arroz con los 4 dientes de ajo y la cebolla picada. Cuando la cebolla esté dorada se incorpora el caldo de cocción de los garbanzos.

Se deja cocer durante 10 minutos, se rectifica de sal y finalmente cuando el plato ya esté acabado se disponen de forma armoniosa los trozos de carne y la butifarra y se acaba de adornar el plato con las rodajas de las bolas de carne reservadas y se introducen en el horno, previamente precalentado a 200 °C durante 8 minutos aproximadamente.

ARROZ
AL HORNO CON ALBONDIGUILLAS

DIFICULTAD: MEDIA  45 MINUTOS

INGREDIENTES PARA 4 PERSONAS:

» 300 gramos de arroz senia

» 125 gramos de garbanzos previamente cocidos

» 0,5 decilitros de aceite

» 1,25 litros de caldo de cocido

» 5 gramos de pimentón

» Sal

PARA LAS ALBONDIGUILLAS:

» 200 gramos de magro de cerdo picado

» 30 gramos de manteca de cerdo

» 2 huevos

» 50 gramos de piñones

» 75 gramos de pan rallado

» 3 gramos de canela molida

» 4 ramitas de perejil

» 3 gramos de pimienta molida

» Sal

ELABORACIÓN

Se mezcla en un recipiente la carne picada, los piño-nes, el pan rallado y la manteca de cerdo; se añade después la yema de 1 huevo, la canela, la pimienta y el perejil picado; se espolvorea de sal y se amasa hasta obtener un conjunto homogéneo y liso.

Se baten las claras de los huevos; se da forma a las albondiguillas, y se pasan por las claras de huevo ba-tidas.

Se calienta el caldo del cocido, cuando hierva, se echan las albondiguillas, que se cocerán de 10 a 15 minutos, se sacan y se reservan.

En una cazuela de horno, se calienta el aceite, se agregan los garbanzos y se rehogan ligeramente; se añade el arroz, que también se rehoga, y se sal-pimienta.

Se vierte sobre el conjunto el caldo preparado. Se dis-tribuye el arroz por toda la cazuela y sobre este se distribuyen adecuadamente las albondiguillas.

Se pasa la cazuela al horno a 200 °C, donde perma-necerá 20 minutos. Se deja reposar 5 minutos antes de servirlo.

ARROZ
A LA ZAMORANA

DIFICULTAD: MEDIA  45 MINUTOS

INGREDIENTES PARA 6 PERSONAS:

» 350 gramos de arroz bahía o senia
» 300 gramos de oreja de cerdo
» 100 gramos de jamón curado
» 1 mano de cerdo
» 100 gramos de tocino entreverado en lonchas delgadas
» 75 gramos de manteca de cerdo
» 100 gramos de cebolla
» 150 gramos de nabo
» 2 dientes de ajo
» 2 pimientos morrones
» Pimentón
» 1 hoja de laurel
» 2 gramos de orégano
» Agua
» Sal

ELABORACIÓN

La mano y la oreja de cerdo, escaldadas y limpias, se ponen a cocer en un puchero con el agua, el laurel, el orégano y la sal. Se cuece hasta que la oreja esté tierna y se pueda deshuesar con la mano. El caldo se reserva.

En una cazuela de barro se coloca la manteca, la cebolla muy picada y el jamón cortado en trocitos; se rehogan, y cuando comiencen a tomar color, se incorporan los ajos picados, el pimentón, los nabos limpios y también cortados en pedazos pequeños y se rehogan también; a continuación se les une la oreja y la mano del cerdo, deshuesadas y partidas a trozos y por último se cubre con litro y medio del caldo procedente de la cocción.

Se echa el arroz a la cazuela, junto con los pimientos morrones cortados en tiras. Se cuece durante 10 minutos.

Pasados los 10 minutos, se retira la cazuela del fuego, se cubre el arroz con lonchas del tocino y se pasa al horno (a 200 ºC), donde cocerá de 8 a 10 minutos más. Se saca del horno, se deja reposar la cazuela 5 minutos y se sirve.

ARROZ
A LA CATALANA

DIFICULTAD: MEDIA  45 MINUTOS

INGREDIENTES PARA 4 PERSONAS:

» 400 gramos de arroz bahía

» 1,5 kilos de conejo

» 3 butifarras

» 300 gramos de costillas de cerdo

» 150 gramos de jamón

» 1 decilitro de aceite

» 150 gramos de cebolla

» 1 pimiento rojo asado

» 3 dientes de ajo

» 1 cucharada de perejil picado

» Agua

» Sal

ELABORACIÓN

Se pone el aceite en una cazuela para freír la cebolla picada, y cuando esta toma color, se le agrega el conejo troceado, las butifarras, las costillas de cerdo, que deben tener unos 3 o 4 centímetros de longitud, y el jamón picado; se rehoga todo ello con algo de sal y cuando está en su punto se le añade agua en doble proporción que la cantidad de arroz. Se agrega también este y se deja cocer a fuego vivo durante 10 minutos, añadiendo los ajos picados, perejil muy picado y unas tiras de pimientos, previamente asados.

Se rectifica de sal y se mete al horno caliente, a 200º durante 8 minutos.

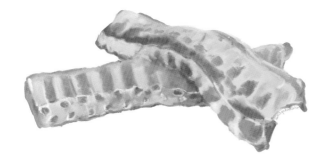

ARROCES MELOSOS

El arroz meloso es una preparación con un punto de cocción que se encuentra en una gama intermedia entre los arroces secos, las paellas y los caldosos.

¿Cuál es la diferencia? Visualmente lo podemos tener más claro, dependiendo de la textura del plato en cuestión, pero en la práctica es necesario ajustar la proporción del arroz y el líquido para tener éxito en la mesa.

El arroz meloso se debe hacer con arroces especiales ricos en almidón, que aseguren esa textura untuosa que tanto nos gusta.

ARROZ CON VERDURAS

DIFICULTAD: MEDIA  55 MINUTOS

INGREDIENTES PARA 6 PERSONAS:

» 500 gramos de arroz senia
» 500 gramos de espárragos frescos
» 500 gramos de tomate triturado
» 300 gramos de cebolla picada
» 250 gramos de judías verdes
» 250 gramos de guisantes
» 6 puerros
» 6 alcachofas medianas
» 4 zanahorias medianas
» 1,75 decilitros de aceite
» 1,5 decilitros de vino blanco seco
» Zumo de 1 limón
» Sal
» Agua a discreción

ELABORACIÓN

Se preparan las verduras: se pica la cebolla y se reserva; se pelan las zanahorias y se cortan en pedazos del tamaño y forma de dientes de ajo; se cortan los espárragos, puerros y judías en trozos de 2 o 3 centímetros; se desgranan los guisantes; se cortan las alcachofas en cuartos y se pasan por zumo de limón, para evitar que se ennegrezcan.

En una sartén se calienta el aceite, se le añade la mitad de la cebolla, y cuando se dore se agrega el resto de las verduras, que se sofreirán también; se añade agua solo para cubrirlas y se cuecen lentamente con la sartén cubierta. Pasados 20 minutos se incorpora el tomate desmenuzado, que se añade a la salsa, después se agrega el vino y se continúa la cocción 10 minutos más.

En una cazuela se calienta el aceite y en él se sofríe la restante cebolla, cuando esté dorada se agrega el arroz, que se sofreirá un par de minutos. A continuación se vierte en la cazuela 1,5 litros de agua muy caliente y cuando esta hierva se añaden las verduras que se sofrieron en la sartén; se revuelven con el arroz, se prueba y rectifica de sal.

El arroz deberá cocer los 8 minutos primeros a fuego fuerte y después otros 10 a fuego más reducido.

ARROZ
CON CORDERO

INGREDIENTES PARA 6 PERSONAS:

» 500 gramos de arroz bahía o senia
» 500 gramos de carne de cordero
» 50 gramos de cebolla
» 50 gramos de tomate rallado
» 30 gramos de mantequilla salada
» 4 gramos de pimentón
» 1 decilitro de aceite
» 2 gramos de pimienta negra
» 8 hebras de azafrán
» Sal
» Agua a discreción

ELABORACIÓN

Se corta el cordero en trozos pequeños y se sazona con la pimienta negra y la sal. Se reserva.

En una cazuela se calienta el aceite y se sofríe la cebolla cortada finamente; cuando esté dorada se agrega el tomate, el pimentón y el cordero, se doran también. Se cubre de agua, se calienta hasta llevarla a ebullición; después se reduce el calor del fuego hasta que la carne esté cocida. Se sacan los pedazos de cordero de la cazuela y se reservan en lugar caliente.

Se agrega 1 litro de agua y se hace hervir; se rectifica de sal y se añade la pimienta y el azafrán. Se echa el arroz.

Deberá cocer lentamente hasta que el arroz haya absorbido todo el caldo (20 minutos). Se distribuye por su superficie la mantequilla, se retira del fuego y se pasa a una fuente.

Se reparten los pedazos de carne, que se habrán mantenido calientes, sobre el arroz, optativamente se esparce sobre estos perejil o albahaca picados y se sirve.

ARROZ
CON SETAS

DIFICULTAD: MEDIA  40 MINUTOS

INGREDIENTES PARA 6 PERSONAS:

» 400 gramos de arroz bahía o senia

» 800 gramos de setas (níscalos)

» 100 gramos de judías verdes

» 1 manojo de ajos tiernos

» 6 hojas de acelgas, cortadas en trozos

» 4 alcachofas, cortadas en trozos

» 2 zanahorias pequeñas, cortadas en trozos

» 1 nabo pequeño, cortado en trozos

» 100 gramos de tomate triturado

» 50 gramos de guisantes desgranados

» 1 decilitro de aceite

» 1 rama de apio

» 1 cucharada de pimentón

» 2 litros de agua

ELABORACIÓN

Se limpian los níscalos, cuidadosamente para que no quede nada de tierra; se escurren y se cortan. Se limpian y se preparan el resto de las verduras.

En una cazuela se coloca el aceite y se calienta; se sofríen el tomate y los ajos cortados muy finos o picados; se añaden el resto de las verduras y los níscalos y se sofríen por espacio de 6 minutos, se agrega el pimentón y la sal, que se remueve con el resto del sofrito y continúa este un par de minutos más.

Se añade el agua, que se habrá calentado previamente para facilitar la cocción de los níscalos y las verduras y se dejan cocer estos ingredientes (unos 20 minutos a fuego medio).

Se añade el arroz y se aviva el fuego durante 5 o 6 minutos; se cuece a fuego medio con la cazuela destapada de 8 a 10 minutos, y después se pasa al horno 10 minutos a 200º C para terminar la cocción, (en el caso de que se embeba excesivamente y falte caldo, se agregará más agua caliente).

ARROZ
A LA CORTIJERA

DIFICULTAD: FÁCIL  35 MINUTOS

INGREDIENTES PARA 6 PERSONAS:

» 600 gramos de arroz bahía o senia
» 400 gramos de tomate triturado
» 400 gramos de cebolla picada
» 2 decilitros de aceite de oliva
» 1 pimiento rojo grande
» 6 dientes de ajo picaditos
» Unas hebras de azafrán o condimento amarillo
» Pimienta blanca en polvo
» 2 litros de agua
» Sal

ELABORACIÓN

Se pone una sartén al fuego con la mitad del aceite. Se fríen los ajos, la cebolla, el pimiento rojo muy picado. Se incorpora el tomate, y una vez todo bien frito se sazona con la sal y la pimienta blanca, se incorpora también el azafrán o condimento amarillo. Se reserva.

En una cazuela de barro con el resto de aceite se rehoga el arroz. A continuación se vierte en la cazuela 2 litros de agua muy caliente, y cuando esté a media cocción se añade el sofrito reservado.

El arroz deberá cocer los 10 primeros minutos a fuego fuerte y después 8 minutos más.

ARROZ
CON POLLO Y CONEJO

DIFICULTAD: MEDIA  35 MINUTOS

INGREDIENTES PARA 6 PERSONAS:

» 200 gramos de arroz bahía o senia

» 250 gramos de conejo

» 200 gramos de pollo

» 1 pimiento verde

» 8 espárragos verdes

» 100 gramos de cebolla picada

» 2 dientes de ajo

» 1,5 decilitros de aceite de oliva

» 60 gramos de tomate rallado

» 1 cucharadita de pimentón

» Unas hebras de azafrán o condimento amarillo

» 2 litros de agua

» Sal

ELABORACIÓN

En una olla de hierro o cazuela de barro honda se pone el aceite, cuando esté caliente se incorporan el pollo y el conejo, cortados en pequeños trozos y sazonados. Se sofríen hasta que queden dorados y a continuación se añade el ajo picado y la cebolla y se rehogan un poco. Seguidamente se incorpora el tomate, los espárragos y el pimiento verde cortado en trozos grandes. Pasados unos 3 minutos se incorpora el pimentón y el agua con el azafrán. Se deja cocer unos 8 minutos antes de poner el arroz. Se rectifica de sal y de agua, esta última a tenor de lo que se ha consumido durante los 8 minutos de cocción. Se deja cocer durante otros 18 minutos.

ARROZ
CON COSTILLEJAS

DIFICULTAD: MEDIA  40 MINUTOS

INGREDIENTES PARA 6 PERSONAS:

» 400 gramos de arroz bahía o senia

» 400 gramos de costillejas de cerdo

» 4 alcachofas, cortadas en trozos

» 300 gramos de coliflor cortada en trozos

» 200 gramos de habas tiernas desgranadas

» 300 gramos de tomates

» 200 gramos de judías verdes

» 1 pimiento colorado

» 1,25 decilitros de aceite

» 6 ajos tiernos

» 8 hebras de azafrán

» 3 litros de agua

» Sal

ADVERTENCIA:
ESTE ARROZ TAMBIÉN PUEDE ELABORARSE EN PAELLA; LA DIFICULTAD ES ALGO MAYOR A LA HORA DE DARLE EL DEBIDO PUNTO DE COCCIÓN Y, EN TAL CASO, ANTES DE SERVIR, EL ARROZ DEBE REPOSAR 5 MINUTOS O MÁS.

ELABORACIÓN

Se sofríen las costillejas en una sartén o cazuela, se escurren del aceite y se pasan a un recipiente con el agua ligeramente salada donde cocerán durante 10 minutos. El caldo se reserva.

Se pelan los tomates, se limpian y se trituran; el pimiento se limpia y se parte en tiras; se cortan los tallos de la coliflor, también se libra a las alcachofas de sus hojas más duras y se cortan en cuartos; se cortan las judías verdes, libres de fibras, en pedazos de unos 3 centímetros.

En una cazuela y en el aceite en que se sofrieron las costillejas, se sofríen todas las verduras, incluyendo las habas y los ajos tiernos durante 7 u 8 minutos y a continuación el arroz y las costillejas, se rehogan estos ingredientes un par de minutos, cuidando que el arroz no se queme.

Se agrega parte del caldo en el cual se cocieron las costillejas, en proporción de tres veces el volumen del arroz. Se cuece durante 10 minutos a fuego fuerte, se sazona y se agrega el azafrán y después se rebaja el fuego durante 8 o 10 minutos más.

ARROZ
CON MAGRO
Y VERDURAS

DIFICULTAD: FÁCIL  40 MINUTOS

INGREDIENTES PARA 6 PERSONAS:

» 400 gramos de arroz bahía o senia

» 500 gramos de magro de cerdo

» 300 gramos de tomate maduro

» 3 pimientos verdes medianos

» 1,25 decilitros de aceite

» 4 dientes de ajo

» 1 ramita de perejil

» 1,750 litros de agua

» Sal

ELABORACIÓN

Se calienta en la cazuela el aceite, se añade el magro cortado en dados y se sofríe. Se saca la carne y se reserva en un plato.

Se fríen los ajos en el mismo aceite, se retiran y se reservan; se incorporan los pimientos limpios y cortados en tiras y el tomate, también limpio de semillas y triturado. Se sofríen a fuego lento unos minutos.

Se majan los ajos en un mortero con el perejil y una pizca de sal; se diluye el picadillo con un poco de agua a la cazuela.

Se incorpora otra vez el magro y se rehoga de nuevo rápidamente con los demás ingredientes. Se añade el arroz que, a su vez, se rehoga un minuto o algo más, sin permitir que se queme.

Se vierte el agua en la cazuela; se cuece el arroz durante 10 minutos a fuego fuerte y otros 10 a fuego lento. Mediada la cocción se rectifica de sal.

ARROZ
CON PAPAS
Y MANITAS DE CERDO

DIFICULTAD: FÁCIL  50 MINUTOS

INGREDIENTES PARA 4 PERSONAS:

» 300 gramos de arroz bahía o senia

» 1 kilo de manitas de cerdo cortadas y limpias

» 100 gramos de magro de cerdo cortado en trocitos

» 250 gramos de patatas cortadas en trozos
   (mejor, en forma de gajos)

» 1 pimiento verde cortado en tiras

» 100 gramos de cebolla picada

» 2 dientes de ajo

» 1 pellizco de pimienta blanca

» 1 ramita de tomillo

» 1 decilitro de aceite

» 1,5 litros de agua

» Sal

» Azafrán

ELABORACIÓN

En una cacerola se pone el aceite a calentar, se echan las manitas y se doran, agregamos la cebolla picada, el magro, los ajos picados, el tomillo, el pimiento verde, la sal y la pimienta blanca.

Una vez rehogado, se agrega el agua y el azafrán, se deja hervir hasta que las manitas estén casi tiernas. Se incorpora el arroz y a los 5 minutos las patatas. Se deja cocer a fuego lento, durante 15 minutos más. Rectificar de sal.

Una vez esté todo cocido se sirve bien pronto. Este arroz no tiene espera.

ARROZ
A LA MALAGUEÑA

DIFICULTAD: FÁCIL   30 MINUTOS

INGREDIENTES PARA 6 PERSONAS.

- » 300 gramos de arroz bahía o senia
- » 500 gramos de rape en trozos
- » Un manojo de espárragos verdes, cortando lo tierno del espárrago en trozos pequeños
- » 250 gramos de almejas
- » 300 gramos de gambas peladas o langostinos
- » 200 gramos de cebolla picada
- » 150 gramos de tomate triturado
- » 5 dientes de ajo picados
- » 1 pimiento verde en trozos
- » 1 decilitro de aceite de oliva
- » 15 gramos de pimentón
- » 2 litros de agua
- » Pimienta blanca
- » 8 hebras de azafrán
- » Sal

ELABORACIÓN

Se pone al fuego una cacerola con el aceite. Una vez caliente se agrega y se sofríe el ajo picado, la cebolla, el pimiento, el tomate, los espárragos y el rape. Una vez sofrito se incorpora el pimentón, la pimienta blanca y el azafrán.

Se añaden 2 litros de agua, se deja hervir y se pone a punto de sal. Se agrega, entonces, el arroz, y a media cocción, 9 minutos aproximadamente, se incorporan las almejas, lavadas, y las gambas. Se rectifica de sal

Se continua cociendo durante otros 10 minutos más.

ARROZ
CON CHOCO

DIFICULTAD: FÁCIL

 30 MINUTOS

INGREDIENTES PARA 4 PERSONAS:

» 450 gramos de arroz bahía o senia

» 1,5 kilos de choco limpio y cortado en trozos

» La tinta de los chocos

» 125 gramos de cebolla picada

» 3 dientes de ajo picado

» 1 pimiento verde picado

» 100 gramos de tomate natural picado

» 1,250 decilítros de caldo de pescado

» 1 cucharada de pimentón dulce

» 1 decilitro de aceite

» Azafrán

» Sal

PARA EL CALDO

» 1 puerro

» 1 zanahoria

» 1 rama de apio

» 50 gramos de cebolla

» 500 gramos de cabezas de rape

» 2 litros de agua

» Sal

ELABORACIÓN

Para preparar el caldo, en una olla puesta al fuego con 2 litros de agua y un poco de sal, se cuecen las verduras (la zanahoria y el puerro, cortados en rodajas) con la rama de apio y el pescado, durante 20 minutos aproximadamente. Durante la cocción, se debe eliminar la espuma. Pasado este tiempo se retira del fuego y se cuela. Se reserva.

En una cazuela con el aceite, se dora la cebolla, el ajo y el pimiento verde. Se le añaden los chocos troceados y se deja rehogar durante unos minutos. A continuación, se añade el tomate picado, el pimentón, las hebras de azafrán y el caldo de pescado.

Se deja hervir hasta que el choco esté tierno, se agrega el arroz y la tinta del choco, se pone a punto de sal y se deja cocer durante 18 minutos. Pasado este tiempo, se sirve.

ARROZ
DE LA ABADÍA

DIFICULTAD: MEDIA  30 MINUTOS

INGREDIENTES PARA 4 PERSONAS:

» 350 gramos de arroz bahía o senia
» 250 gramos de tomates maduros, limpios y picados
» 150 gramos de cebolla tierna
» 125 gramos de setas (níscalos)
» 3 higadillos de pollo
» 1 diente de ajo
» 1 decilitro de aceite
» 1,5 litros de caldo de ave
» 3 gramos de tomillo picado
» Pimienta
» Sal

PARA EL CALDO

» 1 kilo y medio de caparazones de pollo o de gallina
» 2 litros de agua

ELABORACIÓN

Ponemos en una olla con 2 litros de agua los caparazones y los dejamos cocer a fuego lento, durante 20 minutos aproximadamente. Durante la cocción, se debe eliminar la espuma. Pasado este tiempo se retira del fuego y se cuela. Se reserva.

Se limpian las setas dejándolas libres de todo residuo de tierra, se escurren, se secan con un paño, se cortan en trozos del tamaño de un diente de ajo y se reservan.

En una cazuela se calienta el aceite, en él se dora la cebolla, finamente picada, y el diente de ajo aplastado. Después se agregan los hígadillos de pollo (limpios de hiel), cortados a trocitos, y se rehogan; se añade un poco de caldo caliente, se remueve el conjunto.

Pasados 8 o 9 minutos, se agrega el arroz, se remueve y se sazona con el tomillo; se añaden las setas, el tomate y se rectifica de sal y pimienta. La salsa resultante se remueve continuamente para evitar que se pegue en el fondo de la cazuela.

Se va agregando, poco a poco, el resto del caldo a medida que vaya consumiéndose. La operación se prolongará durante un 15 minutos o muy poco más; luego se aparta del fuego, pues el arroz debe quedar cocido, y se sirve.

ARROZ
CON BACALAO
Y GARBANZOS

DIFICULTAD: FÁCIL  35 MINUTOS

INGREDIENTES PARA 4 PERSONAS:

» 300 gramos de arroz bahía o senia
» 200 gramos de bacalao
» 200 gramos de garbanzos
» 200 gramos de tomate triturado
» 1,25 decilitros de aceite
» 4 gramos de pimentón
» 1 cabeza de ajos
» 1,25 litros de agua
» 4 hebras de azafrán
» Sal

ELABORACIÓN

En una olla se calienta el agua ligeramente salada y se cuecen los garbanzos (los cuales habrán permanecido a remojo desde la víspera).

Se toma el bacalao, se pasa por la llama varias veces, chamuscándolo, se pone a remojo de 3 a 4 horas; se saca, se quitan las espinas y se desmenuza.

En la cazuela o cacerola, se calienta el aceite, en él se sofríen el tomate triturado, el pimentón y la cabeza de ajos durante 1 minuto, también se incorpora el bacalao y se rehoga unos 6 minutos más. Por último se añaden los garbanzos cocidos y el arroz y se rehogan ligeramente. Se retira la cabeza de ajos.

Se echa a la cazuela el agua en la que cocieron los garbanzos; durante 5 minutos se mantiene a fuego vivo; se incorpora el azafrán disuelto en un poco de agua caliente y se continúa la cocción del arroz a fuego medio durante 12 o 15 minutos más. Se sirve caliente.

ARROZ
CON CALAMARES
Y BOCAS DE MAR

DIFICULTAD: FÁCIL  35 MINUTOS

INGREDIENTES PARA 4 PERSONAS

» 200 gramos de arroz bahía o senia
» 4 bocas partidas en dos y un poco machacadas
» 150 gramos de calamares en anillas
» 125 gramos de cebolla picada
» 2 dientes de ajo
» 125 gramos de tomate picado o rallado
» 1,5 litros de caldo de pescado
» 1,5 decilitros de aceite de oliva
» Una cucharadita de pimentón
» Sal

PARA EL CALDO

» 1 puerro
» 1 zanahoria
» 1 rama de apio
» 50 gramos de cebolla
» 500 gramos de cabezas de rape
» 2 litros de agua
» Sal

ELABORACIÓN

Para preparar el caldo, en una olla puesta al fuego con 2 litros de agua y un poco de sal, se cuecen las verduras (la zanahoria y el puerro, cortados en rodajas) con la rama de apio y el pescado, durante 20 minutos aproximadamente. Durante la cocción, se debe eliminar la espuma. Pasado este tiempo se retira del fuego y se cuela. Se reserva.

En una cazuela de barro honda o una olla de hierro, con el aceite caliente, se incorporan los calamares con algo de sal, a continuación las bocas y la cebolla picada y se sofríen. Se añade el ajo picado, el tomate y se sofríe unos minutos antes de agregarle el pimentón y el caldo. Cuando empiece a hervir se le incorpora el arroz. Se rectifica de sal y se deja hervir durante 18 minutos. Después se deja, al menos, 3 minutos en reposo.

ARROZ
CON CIGALAS

DIFICULTAD: ALTA  40 MINUTOS

INGREDIENTES PARA 6 PERSONAS:

» 500 gramos de arroz bahía o senia

» 18 cigalas

» 600 gramos de tomates

» 100 gramos de cebolla tierna

» 75 gramos de harina

» 1,50 decilitros de aceite

» 1 limón

» 1 ramita de perejil picado

» Media copa de brandy

» 15 gramos de curry

» Un pellizco de pimienta de Cayena

» 10 hebras de azafrán

» Sal

» Agua a discreción

ELABORACIÓN

Se cuece el arroz en litro y medio de agua, ligeramente salada, mediada la cocción se agrega el azafrán; se escurre el arroz cuando esté tierno, pero aún ligeramente consistente, y se extiende sobre un paño, se remueve de cuando en cuando.

Durante la cocción del arroz se pelan las cigalas, se lavan con agua y un poco de zumo de limón, se escurren, se secan y se sazonan. Se pone al fuego una sartén con 0,4 decilitros de aceite; se enharinan las cigalas y se fríen a fuego vivo; se rocían con el brandy, se flamean y se reservan.

En otra sartén se añade 0,4 decilitros de aceite y se dora la cebolla cortada finamente; se agrega el tomate, triturado y limpio, se remueve sofriendo el conjunto hasta formar una emulsión, se añade la pimienta de Cayena y un poco de sal.

En una cazuela se coloca el resto del aceite, cuando esté caliente se incorpora el arroz, se añade el curry y se mezcla durante 1 minuto.

Se pasa el arroz a la fuente de servicio; se vierte la salsa de tomate y especias. Se mezcla con el arroz y se forma con él una especie de corona, en cuyo centro se depositan las cigalas. Se espolvorea el conjunto con perejil picado.

ARROZ
DE MARISCO CANTÁBRICO

DIFICULTAD: MEDIA    45 MINUTOS

INGREDIENTES PARA 6 PERSONAS:

- » 500 gramos de arroz bahía o senia
- » 500 gramos de almejas
- » 500 gramos de navajas
- » 500 gramos de berberechos
- » 500 gramos de mejillones
- » 500 gramos de calamares
- » 100 gramos de quisquillas
- » 100 gramos de cebolla
- » 100 gramos de pimiento verde
- » 50 gramos de salsa de tomate sazonada de pimienta
- » 1,5 decilitros de aceite
- » 4 dientes de ajo picados
- » 1,75 litros de agua
- » 8 hebras de azafrán
- » Perejil picado
- » Sal

ELABORACIÓN

Se lavan las almejas, las navajas, los berberechos y los mejillones; se ponen en una cazuela con la mitad del agua, se calienta hasta que se abran, una vez abiertos se retiran y se reservan. El agua resultante, se cuela y también se reserva caliente. Se limpian los calamares y se cortan, en trozos.

Se pelan los pimientos y se limpian, se pican y se les incorpora las cebollas picadas. En una sartén se coloca la mitad del aceite, cuando esté caliente se agregan las cebollas y los pimientos y cuando comiencen a dorarse, se agregan los calamares; se sofríe todo el conjunto, dándole vueltas de vez en cuando, y tapando la sartén después de cada intervención.

En un recipiente, bien una cazuela o una paella, se calienta la otra mitad del aceite y se agrega el ajo, cuando esté dorado se añade el arroz que se sofríe durante 2 minutos. Después se agrega el encebollado de los calamares y la salsa de tomate y se sofríe todo.

Se añade el agua caliente donde se cocieron los mariscos, se sazona, se agrega el azafrán y se deja cocer durante 18 o 20 minutos: 10 a fuego fuerte y el resto a fuego más lento. Se deja reposar 5 minutos, se incorporan los mariscos, se esparce perejil picado y se adorna la fuente de servicio con las quisquillas que se habían escaldado previamente.

ARROZ
INTEGRAL CON VERDURAS

DIFICULTAD: ALTA  40 MINUTOS

INGREDIENTES PARA 4 PERSONAS:

» 250 gramos de arroz integral

» 150 gramos de judías bobi

» 2 patatas en rodajas gruesas

» 2 manojos de espárragos verdes finos

» 2 manojos de ajetes tiernos

» 2 dientes de ajo picados

» 1 pimiento rojo cortado en juliana

» 100 gramos de tomate maduro rallado

» 1 cucharada de pimentón

» 1 decilitro de aceite

» 8 hebras de azafrán

» Sal

PARA EL CALDO

» 1 puerro cortado en rodajas

» 1 pimiento verde

» 150 gramos de zanahorias en rodajas

» 1 nabo cortado en trozos

» 2 pencas de acelgas en trozos

» 1 rama de apio

» 2 ramas de perejil

» Sal

ELABORACIÓN

Para preparar el caldo, en una olla puesta al fuego con el agua y un poco de sal, se cuecen las verduras durante 20 minutos aproximadamente. Pasado este tiempo se retira del fuego y se cuela. Se reserva.

Se preparan las verduras lavadas. En una cazuela se pone el aceite y se fríe en el siguiente orden: las patatas, el pimiento rojo, los ajos y los ajetes. Se da dos o tres vueltas y se añade el resto de las verduras excepto el tomate. Se rehoga durante 15 minutos. Se hace un hueco en el centro, donde se echa el tomate y se fríe. Se añade el pimentón, el azafrán, el agua y la sal, se deja hasta que rompa a hervir. Se incorpora el arroz que se habrá tenido en remojo unas horas. Se deja hervir unos 20 o 25 minutos. Se aparta y se deja reposar unos minutos antes de servir.

ARROZ
INTEGRAL CON POLLO
Y MAGRO DE CERDO

DIFICULTAD: MEDIA  45 MINUTOS

INGREDIENTES PARA 4 PERSONAS:

» 350 gramos de arroz integral

» 250 gramos de pollo

» 250 gramos de magro de cerdo

» 1 pimiento verde

» 150 gramos de cebolla picada

» 125 gramos de robellones o 2 piezas de boletus

» 100 gramos de tomate rallado

» 1,5 decilitros de aceite

» 2 dientes de ajo picados

» 1 cucharada de pimentón

» 8 hebras de azafrán o condimento amarillo

» 2 litros de agua

» Sal

ELABORACIÓN

En una olla o cacerola grande con tapa se pone el aceite. Cuando esté caliente se incorpora el pollo y el magro, cortado en pequeños trozos y sazonados. Se sofríe hasta que queden dorados y a continuación se añade el ajo picado y la cebolla y se rehoga un poco. Seguidamente se incorpora el tomate, pimiento verde cortado en trozos grandes y los robellones lavados y cortados en tiras anchas. Pasados unos 3 minutos se incorpora el azafrán, el pimentón y el agua. Se deja cocer unos 5 minutos antes de poner el arroz. Se rectifica de sal y de agua, esta última a tenor de lo que se haya consumido durante los 5 minutos de cocción. Pasado ese tiempo, le se agrega el arroz que previamente se habrá tenido en remojo durante 1 hora y se tapa la cacerola. Se cocina a fuego fuerte durante 8 minutos y otros 18 a fuego moderado.

Vigilar y remover para que no se pegue. Se deja reposar durante 5 minutos. Se sirve.

NOTA:
SI SE TUVIERA QUE AÑADIR AGUA O CALDO, CUANDO EL ARROZ ESTÁ COCIENDO, INCORPORARLO SIEMPRE BIEN CALIENTE.

ARROZ
CON HABICHUELAS PINTAS, CARDOS Y CALABAZA

DIFICULTAD: MEDIA  130 MINUTOS

INGREDIENTES PARA 4 PERSONAS:

- » 200 gramos de arroz bahía o senia
- » 300 de habichuelas pintas
- » 200 gramos de costillas de cerdo cortadas en trozos
- » 75 gramos de aceite de oliva
- » 1 cardo limpio
- » 300 gramos de calabaza
- » 1 nabo
- » 1 boniato
- » 1 mano de cerdo partida en cuatro trozos
- » 100 gramos de tocino
- » 1 zanahoria
- » Pimentón
- » Azafrán
- » Sal

ELABORACIÓN

Se cuecen las habichuelas que previamente habrán estado a remojo. Se añade el cardo limpio y cortado en trozos, el nabo, la zanahoria y el boniato también cortados en trozos. Se sazona y se cuece durante 1:30 horas.

Se calienta el aceite en una sartén. Se sofríe la carne con la calabaza cortados en dados fuego lento, se agrega el pimentón y se da una vuelta.

Se vierte todo en el caldo de la cocción de las habichuelas, se añade el arroz, el azafrán y se sazona. Se mantiene la cocción durante 18 minutos. Se sirve el plato meloso, no seco.

ARROZ
BASMATI CON SETAS VARIADAS

DIFICULTAD: MEDIA  40 MINUTOS

INGREDIENTES PARA 4 PERSONAS:

» 350 gramos de arroz basmati

» 500 gramos de setas variadas

» 50 gramos de mantequilla

» 100 gramos de aceite

» 1 litro y medio de caldo de pollo

» 3 dientes de ajo

» 150 gramos de cebolla

» 1 vaso de vino blanco

» Sal

ELABORACIÓN

Se lava bien el arroz hasta que el agua salga limpia, de esta manera se le quita el almidón. Se escurre y se reserva.

En una cacerola grande con tapa, se pone la mantequilla con la mitad del aceite y se sofríe la cebolla hasta que ablande. Se sofríe el arroz hasta que apenas tome color dorado y se añade el caldo de pollo con algo de sal.

Cuando comience a hervir se baja el fuego y se tapa la cacerola. No se remueve demasiado durante la cocción, pasados 15 minutos se apaga el fuego. El arroz se reserva.

Para preparar las setas, primero se limpian bien con un cepillo y si fuera necesario con agua. Luego se corta en trozos.

En una sartén con el resto de aceite, se doran los ajos y se agregan las setas y se sazona. Se sofríen durante 8 o 10 minutos, se le agrega el vino y se deja hervir hasta que reduzca.

Se sirve junto con el arroz.

ARROZ
SALVAJE CON POLLO Y SETAS DE CARDO

DIFICULTAD: MEDIA  50 MINUTOS

INGREDIENTES PARA 4 PERSONAS:

» 400 gramos de arroz salvaje
» 200 gramos de pechuga de pollo
» 200 gramos de setas de cardo
» 2 dientes de ajos picados
» 50 gramos de cebolla picada
» 100 gramos de aceite de oliva
» 2 zanahorias tiernas
» 1 copa de brandy
» Sal

ELABORACIÓN

Se comienza con la cocción del arroz que es la parte más larga, ya que esta variedad de arroz requiere aproximadamente unos 35 a 40 minutos para estar cocido en su punto. Se recomienda ir probándolo hasta que se encuentre cocido, o un poquito duro, ya que se rematará la cocción al sofreírlo con los demás ingredientes.

Como la zanahoria es algo dura, se aprovecha para córtala en pequeños trozos y cocerla junto con el arroz. Mientras tanto, se corta la pechuga de pollo en pequeños trozos, se sazona y se sofríe hasta dorarla en la cazuela.

Una vez el pollo esté sofrito, se añaden las setas cortadas en trozos, los ajos y la cebolla. Se saltea el conjunto durante 3 minutos y se añade un poco de brandy. Cuando el arroz salvaje y la zanahoria estén cocidos, se escurren y se añaden a la sartén, se mezclan bien los ingredientes para que todos los sabores se integren, se rectifica de sal y finalmente se sirve.

ARROZ
SALVAJE CON SETAS DESHIDRATADAS

DIFICULTAD: MEDIA  45 MINUTOS

INGREDIENTES PARA 4 PERSONAS:

» 300 gramos de arroz salvaje

» 1 paquete de setas deshidratadas

» 2 dientes de ajo picados

» 1 decilitro de aceite de oliva

» 2 hojas de laurel

» Chile molido

» Agua

» Sal

ELABORACIÓN

En primer lugar se ponen las setas en un bol con agua para que se hidraten, removiéndolas de vez en cuando, se verá que doblan o triplican su tamaño. Se pone una olla con agua, sal y las hojas de laurel y se hierve el arroz el tiempo que marque el paquete, será sobre unos 35 minutos.

En una sartén se pone el aceite de oliva y se fríen los ajos picados, cuando empiecen a coger color se echan las setas que se habrán escurrido bien. Se echa una pizca de chile molido, para que dé un puntito de sabor, y algo de sal, se sofríen unos minutos y se reserva.

Se escurre el arroz y se mezcla con las setas, se rectifica de sal y se emplata.

ARROZ
SALVAJE SALTEADO
CON VERDURAS

DIFICULTAD: FÁCIL  45 MINUTOS

INGREDIENTES PARA 4 PERSONAS:

» 200 gramos de arroz salvaje
» 150 gramos de judías verdes
» 150 gramos de pimientos verdes
» 1 puerro
» 1 cebolla
» 2 dientes de ajos picados
» 1 decilitro de aceite de oliva
» Sal

ELABORACIÓN

Se cuece el arroz durante 35-40 minutos, se escurre y se enfría. Se pican las verduras en trozos.

En una cazuela se calienta el aceite y se sofríen las verduras a fuego vivo con algo de sal. Debe quedar jugoso. Se añade el arroz, se saltea unos minutos, se rectifica de sal y se sirve.

ARROZ
SALVAJE CON PIMIENTOS Y FRUTOS SECOS

DIFICULTAD: MEDIA  45 MINUTOS

INGREDIENTES PARA 4 PERSONAS:

» 2 paquetes de arroz especial ensaladas, es una mezcla de arroz vaporizado, arroz rojo y arroz salvaje

» 50 gramos de cebolla picada

» 75 gramos de pimiento rojo cortado en juliana

» 75 gramos de pimientos verdes cortados en juliana

» 40 gramos de pasas

» 30 gramos de piñones

» 40 gramos de avellanas tostadas y partidas

» 200 gramos de beicon cortado en trozos

» 1 decilitro de aceite de oliva

» 50 ml de salsa de soja

» 2 litros de agua

» Sal

ELABORACIÓN

Se pone en una olla 2 litros de agua con un poco de sal y una cucharada sopera de aceite. Cuando empiece a hervir, se echa el arroz. Se cuece durante 35 o 40 minutos, se cuela, se escurre y se reserva.

En una cazuela antiadherente se pone el aceite. Cuando esté caliente, se echa la cebolla, el pimiento verde y el rojo. Se remueve varias veces, y cuando esté pochado se añaden el beicon, las avellanas, los piñones y las pasas, se sazona. Se da una vuelta para que se integren todo los sabores, se mantiene un poco más en el fuego hasta que se dore todo y se añade el arroz que hemos reservado. Se remueve todo y se echa la salsa de soja. Se mezcla bien y está listo para servir.

ARROZ
BASMATI CON VERDURAS Y GAMBAS

DIFICULTAD: MEDIA  40 MINUTOS

INGREDIENTES PARA 4 PERSONAS:

» 350 gramos de arroz basmati

» 16 gambas

» 2 zanahorias tiernas

» 150 gramos de calabacín

» 150 gramos de berenjenas

» 100 gramos de tomate maduro

» 100 de cebolla picada

» 1 pimiento verde

» 2 dientes de ajo picados

» 50 ml de brandy

» 1 decilitro de aceite de oliva

» 1,250 litros de agua

» Sal y pimienta

ELABORACIÓN

Se pelan las gambas dejándoles la cola, se toman las cabezas y las cáscaras y se sofríen junto a los ajos picados y una pizca de sal. Se añade 1,250 litros de agua y se hace un caldo. Se deja hervir durante unos 10 minutos, se cuela el caldo, que servirá para cocinar el arroz.

En una cacerola grande con el aceite de oliva se sofríen las verduras cortadas en tiras pequeñas salpimentadas. En otra se saltean las gambas unos segundos a fuego fuerte con algo de sal y se flambean con el brandy.

Una vez colado el caldo, se incorpora el arroz que se ha tenido en remojo unos 30 minutos, se deja cocer unos 18-20 minutos ya cocido se pone a escurrir y se le incorpora a la verdura, se sofríe, se mezcla y se rectifica de sal.

Se sirve acompañado con las gambas.

RISOTTOS

El risotto es una peculiar receta que consigue un arroz cremoso o meloso en su exterior como consecuencia de una técnica que fomenta la salida del almidón del arroz y un interior más al dente, que es como les gusta a los italianos tomar los platos con hidratos de carbono. Esto se consigue, además de con la técnica que ahora veremos, con el uso de variedades de arroz tan interesantes como el arroz carmaroli o el arborio.

En Italia se utilizan también las variedades baldo, padano o maratelli, que son arroces de gran calidad que tienen dos propiedades fundamentales:

1. Capacidad de absorber liquido (caldo que aportará el sabor).

2. Capacidad de liberar el almidón (lo que dará a la receta la textura melosa característica de los risottos).

Los risottos, para que queden jugosos, deben removerse regularmente, así el almidón se desprende y los granos, todavía duros, quedan bañados en un líquido cremoso.

Para preparar un risotto es indispensable disponer de un arroz de grano redondo, que es pegajoso y soporta mejor la remoción.

RISOTTO
A LA PARMESANA

DIFICULTAD: MEDIA  55 MINUTOS

INGREDIENTES PARA 4 PERSONAS:

» 400 gramos de arroz redondo arborio
» 125 gramos de cebolla picada
» 80 gramos de mantequilla
» 40 gramos de aceite de oliva
» 70 gramos de queso parmesano rallado
» 2 litros de caldo de ternera
» Sal

PARA EL CALDO

» 1 kilo de caparazones de pollo o pavo
» 2 huesos de ternera
» 500 gramos de costillas de ternera
» 50 gramos de cebolla
» 50 gramos de zanahoria
» 1 puerro cortado en rodajas
» 1 pimiento verde
» 2,5 litros de agua

ELABORACIÓN

Limpiar la cebolla, lavar las zanahorias y el puerro y los cortamos en rodajas. Ponemos en una olla el agua, el caparazón, los huesos, las costillas y dejamos cocer a fuego lento hasta que reduzca a la mitad (2 horas). Pasado este tiempo se retira del fuego y se cuela. Se reserva.

Se dora la cebolla en una cacerola con 40 gramos de mantequilla y con el aceite de oliva. Cuando esté dorada se añade el arroz, y al cabo de unos 15 minutos se añade el caldo de ternera caliente al punto de sal. Se remueve constantemente y se añade más caldo cuando el anterior haya sido absorbido. Cuando el arroz esté cocido, es decir, cuando esté al dente y no demasiado seco, se retira la cacerola del fuego y se añade el resto de la mantequilla cortada en dados y el parmesano. Se remueve y se sirve.

RISOTTO
DE POLLO

DIFICULTAD: MEDIA
 45 MINUTOS

INGREDIENTES PARA 4 PERSONAS:

» 350 gramos de arroz redondo arborio o padano

» 1 kilo de pollo cortado en trozos

» 3 higaditos de pollo limpio y cortado en trocitos

» 80 gramos de mantequilla

» 40 gramos de aceite de oliva

» 250 ml de vino blanco seco

» 1,5 de caldo de pollo

» 100 gramos de cebolla picada

» 100 gramos de zanahoria muy picada

» 1 ramita de apio muy picada

» 6 cucharadas grandes de queso parmesano

» Pimienta blanca

» Sal

PARA EL CALDO

» 1 kilo y medio de caparazones de pollo o de gallina

» 2 litros de agua

ELABORACIÓN

Ponemos en una olla con 2 litros de agua los caparazones y los dejamos cocer a fuego lento, durante 20 minutos aproximadamente. Durante la cocción, se debe eliminar la espuma. Pasado este tiempo se retira del fuego y se cuela. Se reserva.

Se derriten 50 gramos de mantequilla con el aceite en una cacerola y se saltean el apio, la cebolla y la zanahoria 3 minutos.

Se salpimienta el pollo y se añade a la cacerola. Se aumenta el fuego y se cocina hasta que esté dorado por todas partes. Se rocía con un poco de vino. Se tapa y se deja cocer, se añade el resto del vino gradualmente. Cuando el pollo esté tierno, se retira y se reserva en el horno templado. Se ponen el arroz y los higaditos de pollo en la cacerola con los jugos de la cocción y se cuece a fuego fuerte 3 minutos. Se empieza a echar el caldo, 125 ml cada vez, y se remueve hasta que todo el líquido haya sido absorbido y hasta que el arroz esté tierno, unos 18 minutos. Se echa la mantequilla restante y el queso parmesano y se remueve. Se pasa el risotto a una fuente. Se coloca el pollo encima y se sirve.

RISOTTO CON MARISCO

DIFICULTAD: MEDIA   45 MINUTOS

INGREDIENTES PARA 4 PERSONAS:

» 350 gramos de arroz arborio o padano
» 500 gramos de cigalas pequeñas
» 200 gramos de almejas
» 200 gramos de calamares pequeños
» 2 dientes de ajos
» 1,5 decilitros de aceite de oliva
» 1,5 de caldo de pescado
» Sal

PARA EL CALDO

» 1 puerro
» 1 zanahoria
» 1 rama de apio
» 50 gramos de cebolla
» 500 gramos de cabezas de rape
» 2 litros de agua
» Sal

ELABORACIÓN

En una olla puesta al fuego con 2 litros de agua y un poco de sal, se cuecen las verduras (la zanahoria y el puerro, cortados en rodajas) con la rama de apio y el pescado, durante 20 minutos aproximadamente. Durante la cocción, se debe eliminar la espuma. Pasado este tiempo se retira del fuego y se cuela. Se reserva.

Se pelan las cigalas con los dedos, separando las cabezas del cuerpo, se reservan las cabezas y se quitan los anillos del caparazón. Se limpian los calamares, quitándoles la piel y el jibión, se lavan y se cortan en anillas. Se cuecen las almejas 3 minutos en agua hirviendo y se sacan de su concha.

Se vierten en una sartén 6 cl de aceite de oliva y se calienta con un diente de ajo chafado. Se añaden las cigalas y se doran 3 minutos. Se añaden los calamares y luego las almejas. Se cuecen unos 5 minutos. Se agrega algo de sal y se reserva.

Se calienta en otra sartén el aceite de oliva restante con el otro diente de ajo picado. Se vierte el arroz y se dora removiéndolo con una espátula de madera. Se vierte el caldo de pescado caliente sobre la preparación de arroz. Se cuece unos 18 minutos. Se vierte la preparación del marisco en el arroz y se rectifica de sal. Se cuece unos instante removiendo y se sirve.

RISOTTO
A LA MILANESA

DIFICULTAD: MEDIA  45 MINUTOS

INGREDIENTES PARA 4 PERSONAS:

» 400 gramos de arroz arborio o padano
» 100 gramos de cebolla finamente picada
» 50 gramos de tuétano de buey
» 75 gramos de mantequilla
» 15 cl de vino blanco seco
» 1 pellizco de azafrán
» 1,5 de caldo de carne
» 100 gramos de parmesano rallado
» Sal

PARA EL CALDO

» 1 kilo de caparazones de pollo o pavo
» 2 huesos de ternera
» 500 gramos de costillas de ternera
» 50 gramos de cebolla
» 50 gramos de zanahoria
» 1 puerro cortado en rodajas
» 1 pimiento verde
» 2,5 litros de agua

ELABORACIÓN

Limpiar la cebolla, lavar las zanahorias y el puerro y los cortamos en rodajas. Ponemos en una olla el agua, el caparazón, los huesos, las costillas y dejamos cocer a fuego lento hasta que reduzca a la mitad (2 horas). Pasado este tiempo se retira del fuego y se cuela. Se reserva.

En una cacerola puesta al fuego se cuece la cebolla y el tuétano con la mitad de la mantequilla hasta que la primera esté cocida y el tuétano dorado. Se incorpora el arroz, se remueve y se vierte el vino, 15 cl de caldo y el azafrán al cabo de unos minutos. De deja a fuego lento y se remueve hasta que hayan absorbido el líquido, se añade entonces un cucharón de caldo. Se sigue removiendo e incorporando un poco de caldo hasta que haya sido absorbido por el arroz. Cuando el arroz esté cocido, se rectifica el punto de sal, se retira la cacerola del fuego y se incorpora la mantequilla restante y el queso. Se sirve.

RISOTTO
DE RAPE CON BOLETUS

DIFICULTAD: MEDIA   45 MINUTOS

INGREDIENTES PARA 4 PERSONAS:

» 350 gramos de arroz arborio o padano
» 750 gramos de rape en dados
» 2 boletus cortados en trozos
» 100 gramos de cebolla picada
» 2 dientes de ajo picados
» 125 ml de vino blanco seco
» 1,5 de caldo de pescado
» 1,5 decilitros de aceite de oliva
» 1 pellizco de azafrán en rama
» Sal

PARA EL CALDO

» 1 puerro
» 1 zanahoria
» 1 rama de apio
» 50 gramos de cebolla
» 500 gramos de cabezas de rape
» 2 litros de agua
» Sal

ELABORACIÓN

En una olla puesta al fuego con 2 litros de agua y un poco de sal, se cuecen las verduras (la zanahoria y el puerro, cortados en rodajas) con la rama de apio y el pescado, durante 20 minutos aproximadamente. Durante la cocción, se debe eliminar la espuma. Pasado este tiempo se retira del fuego y se cuela. Se reserva.

Se sofríe el rape y se reserva. En una cacerola se pone el aceite, se añaden los ajos, la cebolla y los boletus, se sofríe lentamente sin que coja color y se sazona. Se pone el arroz y el vino blanco, se deja reducir y se añade el caldo de pescado lentamente controlando la cocción unos 18 minutos.

Cuando queden 5 minutos aproximadamente, se añade el azafrán y el sofrito de rape, cuando el arroz esté cocido, se retira la cacerola del fuego. Se rectifica el punto de sal, se remueve y se sirve.

RISOTTO
CON PUNTAS DE ESPÁRRAGOS

DIFICULTAD: MEDIA  45 MINUTOS

INGREDIENTES PARA 6 PERSONAS:

- » 600 gramos de arroz arborio o padano
- » 1 manojo de espárragos (500 gramos aprox.)
- » 50 gramos de queso rallado parmesano
- » 50 gramos de mantequilla
- » 1,5 litros de caldo de ave
- » Sal

PARA EL CALDO

- » 1 kilo y medio de caparazones de pollo o de gallina
- » 2 litros de agua

ELABORACIÓN

Ponemos en una olla con 2 litros de agua los caparazones y los dejamos cocer a fuego lento, durante 20 minutos. Durante la cocción, eliminar la espuma. Pasado este tiempo se retira del fuego y se cuela. Se reserva.

Se cortan los tallos de los espárragos, dejando solo las partes tiernas cercanas a las puntas; se rascan un poco por fuera (menos en la punta) y se lavan con agua corriente. Las puntas se reservan y las partes tiernas de los tallos de los espárragos se cortan en trozos de 1/2 cm aproximadamente de grosor.

En una cacerola se derrite la mantequilla y se rehoga el arroz y los espárragos. Se añade un cacillo de caldo, que se habrá calentado por separado hasta el punto de ebullición, y se remueve todo el conjunto.

Se va agregando el resto del caldo hirviendo; sucesivamente a cazos, aguardando a verter cada uno a que el contenido del anterior haya sido absorbido por el arroz y removiendo cada vez.

Pasados 10 minutos del inicio de la cocción, se incorporan las puntas de los espárragos; se sazona y se continúa la cocción, agregando sucesivos cazos de caldo durante 8 minutos más.

El arroz se retira del fuego cuando sus granos estén al dente. Se le añade el queso rallado y se remueve de nuevo antes de servir.

RISOTTO DE PRIMAVERA

UN ARROZ DE INSPIRACIÓN ITALIANA.

DIFICULTAD: MEDIA  45 MINUTOS

INGREDIENTES PARA 4 PERSONAS:

» 350 gramos de arroz arborio o padano

» 75 gramos de mantequilla

» 100 gramos de jamón cocido

» 750 gramos de guisantes frescos (o una lata de 250 gramos de guisantes en conserva)

» 50 gramos de queso rallado

» 2 cascos de cebolla

» 1,5 litros de caldo de gallina o pollo

» Sal

PARA EL CALDO

» 1 kilo y medio de caparazones de pollo o de gallina

» 2 litros de agua

ELABORACIÓN

Ponemos en una olla con 2 litros de agua los caparazones y los dejamos cocer a fuego lento, durante 20 minutos. Durante la cocción, eliminar la espuma. Pasado este tiempo se retira del fuego y se cuela. Se reserva.

Se desgranan los guisantes (que quedarán reducidos a 150 gramos) y se corta el jamón en cubitos. Se cortan los cascos de cebolla finamente y se doran en la cacerola con la mitad de la mantequilla. Se añaden los guisantes y el jamón; se sazonan y se añade caldo suficiente para cubrir los guisantes, se ponen a cocer con el recipiente descubierto.

Mediada la cocción de los guisantes (unos 9 minutos a plena ebullición), se incorpora el arroz y, poco a poco, se va incorporando el resto del caldo, removiendo el conjunto después de cada incorporación parcial. La cocción del arroz se calcula en 15 minutos.

Terminada la cocción del arroz, se agrega el resto de la mantequilla cruda, que se disuelve en el conjunto; a continuación se agrega el queso rallado y, si es preciso, se rectifica de sal.

Se deja reposar 3 o 4 minutos para que el arroz acabe de embeber todo el caldo.

RISOTTO CON CALABAZA

UN POPULAR RISOTTO ITALIANO

DIFICULTAD: MEDIA  45 MINUTOS

INGREDIENTES PARA 6 PERSONAS:

- » 400 gramos de arroz arborio o padano
- » 500 gramos de pulpa de calabaza
- » 100 gramos de cebolla tierna
- » 100 gramos de queso rallado
- » 100 gramos de mantequilla
- » Nuez moscada (ralladuras)
- » 1,5 litros de agua
- » Pimienta
- » Sal

ELABORACIÓN

En una olla se pone a calentar el agua y, por otra parte, en una fuente o plato, se va cortando la calabaza en trozos del tamaño y forma de una nuez y también se pica finamente la cebolla.

En una cacerola se derrite la mitad de la mantequilla y en ella se dora, no se fríe, la cebolla picada; después se agregan los pedazos de calabaza que se rehogan en la mantequilla, removiéndolos para que no se peguen y procurando que se tuesten. Se añade un poco de sal y pimienta y unas cucharadas de agua caliente.

Pasados 10 minutos, se agrega el arroz y un poco más de agua caliente y se remueve todo el conjunto. A medida que la cocción del arroz avanza, se va agregando más agua, siempre caliente; la adición del agua se efectuará por cazos, aguardando a que el arroz haya absorbido el contenido de cada uno de ellos, antes de agregar el siguiente y removiendo el conjunto en cada ocasión.

El arroz deberá quedar entero y suave, puede requerir aproximadamente 18 minutos de cocción. (Deberá quedar al dente). Antes de retirarlo del fuego, se añade la mantequilla restante, la nuez moscada y el queso.

RISOTTO
DE RAPE CON CHIPIRONES AL AZAFRÁN

DIFICULTAD: MEDIA  40 MINUTOS

INGREDIENTES PARA 4 PERSONAS:

» 200 gramos de arroz arborio

» 1 diente de ajo picado

» 500 gramos de cebolla picada

» 1,5 litros de caldo de pescado

» 200 gramos de cola de rape

» 6 chipirones limpios

» 120 ml de vino blanco

» 1 pellizco de azafrán

» 100 gramos de aceite de oliva

» 40 gramos de mantequilla

» 1 cucharada de mascarpone

» Sal

PARA EL CALDO

» 1 puerro

» 1 zanahoria

» 1 rama de apio

» 50 gramos de cebolla

» 500 gramos de cabezas de rape

» 2 litros de agua

» Sal

ELABORACIÓN

En una olla puesta al fuego con 2 litros de agua y un poco de sal, se cuecen las verduras (la zanahoria y el puerro, cortados en rodajas) con la rama de apio y el pescado, durante 20 minutos aproximadamente. Durante la cocción, se debe eliminar la espuma. Pasado este tiempo se retira del fuego y se cuela. Se reserva.

Se sofríe el rape en daditos con algo de sal y se reserva.

En una cazuela se pone la mantequilla y el aceite, se añade el ajo y la cebolla y se sofríe lentamente sin que coja color. Se pone el arroz y se añade el vino blanco, se deja reducir y se añade el caldo de pescado lentamente controlando la cocción.

Cuando el arroz esté al dente, se añade el azafrán junto con el rape y se rectifica de sal. Se termina añadiéndole al arroz una cucharada de queso mascarpone.

En una sartén se saltean los chipirones previamente sazonados.

Se coloca el arroz en un plato llano decorándolo con los chipirones salteados y se sirve.

RISOTTO
CON TINTA DE SEPIA

DIFICULTAD: MEDIA  40 MINUTOS

INGREDIENTES PARA 4 PERSONAS:

» 400 gramos de arroz arborio
» 1,250 litros de caldo de pescado
» 150 gramos de cebolla picada
» 1 diente de ajo
» 600 gramos de sepia pequeña
» 1 bolsa de tinta de sepia
» 40 gramos de mantequilla
» 60 gramos de queso parmesano rallado
» 50 cl de aceite de oliva
» Sal y pimenta
» Perejil

PARA EL CALDO

» 1 puerro, 1 zanahoria y 1 rama de apio
» 50 gramos de cebolla
» 500 gramos de cabezas de rape
» 2 litros de agua
» Sal

ELABORACIÓN

En una olla puesta al fuego con 2 litros de agua y un poco de sal, se cuecen las verduras (la zanahoria y el puerro, cortados en rodajas) con la rama de apio y el pescado, durante 20 minutos aproximadamente. Durante la cocción, se debe eliminar la espuma. Pasado este tiempo se retira del fuego y se cuela. Se reserva.

Se limpian la sepias pelándolas en agua corriente. Se quita el jibión y se reserva la tinta. Se cortan las sepias en trozos.

Se pela y se pica la cebolla, se sofríe en una cacerola con 25 cl de aceite de oliva. Se vierte el arroz y se dora 3 minutos removiéndolo con una espátula de madera. Se vierte el caldo sobre el arroz a medida que sea necesario. Se cuece unos 18 minutos removiéndolo con la espátula de madera.

Se vierten 25 cl de aceite de oliva en una cazuela y se caliente. Se saltean en él los trozos de sepia y se sal-pimienta. Se añade el diente de ajo picado. Se vierte la tinta en la preparación de sepia y se remueve con la espátula. Se pasa esta preparación al arroz. Se remueve delicadamente.

Se espolvorea el arroz con parmesano y se remueve. Se añaden los trozos de mantequilla y se rectifica de sal. Se decora con el perejil picado.

RISOTTO
CON BRÓCOLI Y SALCHICHAS

DIFICULTAD: MEDIA  55 MINUTOS

INGREDIENTES PARA 4 PERSONAS:

» 400 gramos de arroz carnaroli
» 150 gramos de brócoli
» 150 gramos de salchichas de carne
» 50 gramos de tomate pelado
» 100 gramos de cebolla
» 1 guindilla seca
» 50 gramos de queso fresco rallado
» 80 gramos de aceite de oliva
» 2 litros de agua
» Sal gruesa
» Pimienta negra

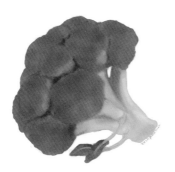

ELABORACIÓN

Se separan los arbolitos del brócoli, se sumergen en una cacerola de agua hirviendo con sal gruesa y se cuecen unos 10 minutos. Se escurren y se reserva el agua de la cocción. Se refresca el brócoli en agua helada. Se quita la tripa a la salchicha y se chafa la carne con los dedos. Se pela y se pica la cebolla. Se corta la guindilla en pedacitos, al igual que el tomate pelado.

Se calientan en una cazuela 30 gramos de aceite de oliva. Se pone en él una parte de la cebolla, las salchichas y el tomate. Se sofríe unos 4 minutos. Se vierte el brócoli y se salpimienta. Se cuece 5 minutos.

Se sofríe en otra cazuela, en 50 gramos de aceite de oliva, la cebolla restante y la guindilla. Se vierte el arroz y se dora removiendo con una espátula de madera. Se vierten en la preparación de arroz 50 cl del agua de cocción reservada y se cuece unos 18 minutos removiendo continuamente.

Se rectifica de sal. Se espolvorea con el queso rallado y se dispone en los platos.

RISOTTO
CON MAGRET DE PATO
Y TRUFAS NEGRAS

DIFICULTAD: MEDIA  40 MINUTOS

INGREDIENTES PARA 4 PERSONAS:

» 350 gramos de arroz arborio

» 350 gramos de magret de pato

» 2 trufas negras pequeñas

» 100 gramos de cebolla picada

» 50 gramos de mantequilla

» 1,5 litros de caldo de ave

» 8 hebras de azafrán

» 50 gramos de queso parmesano

» 1,5 decilitros de aceite de oliva

» Sal y pimienta

PARA EL CALDO

» 1 kilo y medio de caparazones de pollo o de gallina

» 2 litros de agua

ELABORACIÓN

Ponemos en una olla con 2 litros de agua los caparazones y los dejamos cocer a fuego lento, durante 20 minutos aproximadamente. Durante la cocción, se debe eliminar la espuma. Pasado este tiempo se retira del fuego y se cuela. Se reserva.

Se pone en una cazuela al fuego con algo de aceite y se rehoga la cebolla. Cuando esté trasparente se añade el magret de pato cortado en trozos y se dora. Se añade el arroz y se rehoga 1 minuto aproximadamente. Se añaden dos cucharones de caldo caliente en el que se habrá disuelto el azafrán, se cuece sin dejar de remover de vez en cuando, añadiendo caldo según se necesite, no debe quedar muy seco, durante 18 o 20 minutos. Una vez que esté al dente se salpimienta y se añade la mantequilla y el queso sin dejar de remover. Se rectifica de sal.

Se sirve con las trufas ralladas.

RISOTTO
CON PECHUGA DE PAVO

DIFICULTAD: FÁCIL 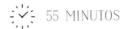 55 MINUTOS

INGREDIENTES PARA 4 PERSONAS:

» 350 gramos de arroz arborio

» 150 gramos de pechuga de pavo

» 1 cebolla grande

» 1,5 litros de caldo de ave

» 150 ml vino blanco

» 100 gramos de queso parmesano rallado

» 80 gramos de aceite de oliva

» 80 gramos de mantequilla

» Sal

» Pimienta negra de molinillo

PARA EL CALDO

» 1 kilo y medio de caparazones de pollo o de gallina

» 2 litros de agua

ELABORACIÓN

Ponemos en una olla con 2 litros de agua los caparazones y los dejamos cocer a fuego lento, durante 20 minutos aproximadamente. Durante la cocción, se debe eliminar la espuma. Pasado este tiempo se retira del fuego y se cuela. Se reserva.

Se derrite la mitad de mantequilla en una cazuela y se añade un poco de aceite de oliva, cuando esté caliente se añade la cebolla picada y se rehoga lentamente. Cuando la cebolla esté bien pochada se añaden las pechugas de pavo cortadas en trocitos y se sofríe con algo de sal y la pimienta negra de molinillo, removiendo para que quede todo bien integrado y añadimos el arroz removiendo para que quede bien mezclado.

Se añade el vino, se deja evaporar el alcohol y se añade el caldo de ave poco a poco. El caldo tiene que está hirviendo. A medida que se vaya cociendo el arroz y soltando almidón, se rectifica de sal.

El arroz debe quedar al dente, unos 18 minutos aproximadamente. A continuación se añade la mantequilla y se remueve, después se pone el queso parmesano se vuelve a remover para que quede bien mezclado.

Hay que servir el plato enseguida y se puede acompañar con un poco más de queso rallado.

RISOTTO
DE PERAS Y JAMÓN

DIFICULTAD: MEDIA  40 MINUTOS

INGREDIENTES PARA 4 PERSONAS:

» 350 gramos de arroz arborio

» 2 peras que no estén maduras

» 100 gramos de jamón

» 50 gramos de queso gorgonzola

» 1/2 cebolla

» 1 copa de vino seco

» 80 gramos de aceite de oliva virgen

» 1,2 litros de caldo de verduras

» Sal

PARA EL CALDO

» 1 puerro cortado en rodajas

» 1 pimiento verde

» 150 gramos de zanahorias en rodajas

» 1 nabo cortado en trozos

» 2 pencas de acelgas en trozos

» 1 rama de apio

» 2 ramas de perejil

» Sal

ELABORACIÓN

Para preparar el caldo, en una olla puesta al fuego con el agua y un poco de sal, se cuecen las verduras durante 20 minutos aproximadamente. Pasado este tiempo se retira del fuego y se cuela. Se reserva.

Se preparan los elementos necesarios picando la cebolla y cortando el jamón en taquitos pequeños. Se rehoga todo junto en una cazuela. Una vez trasparente la cebolla, se añade el arroz y se saltea 1 minuto. Se incorpora el vino blanco, se deja que se evapore y se añade el primer cucharón de caldo de verduras. Mientras el arroz lo va absorbiendo, se pelan y se pican las peras. Para evitar que se deshagan durante la cocción del arroz, que necesita unos 20 minutos, se añade solamente una de ellas, mientras se sigue cociendo el arroz y se incorpora el caldo cacito a cacito.

Se sazona al gusto y se sigue removiendo e incorporando el caldo, cuando el anterior prácticamente ha desaparecido, y se echa la segunda pera a los 10 minutos de cocción. De esta forma, la primera pera desaparecerá prácticamente dando mucho sabor al arroz, la segunda se encontrará en forma de tropezones.

Al terminar la cocción del arroz, se añade el queso gorgonzola, se aparta el fuego y se remueve enérgicamente para que todo el risotto se impregne quedando bien cremoso. Si fuera necesario se puede añadir una cucharada de nata liquida.

RISOTTO DE BACALAO Y GAMBAS RAYADAS

DIFICULTAD: FÁCIL  40 MINUTOS

INGREDIENTES PARA 4 PERSONAS:

» 400 gramos de arroz arborio

» 500 gramos de gambas rayadas con el cuerpo pelado sin quitarle la cabeza

» 150 gramos de sepia cortada en trozos

» 100 gramos de migas de bacalao desalado

» 100 gramos de cebolla

» 80 gramos de queso parmesano

» 1,5 litros de caldo de pescado

» 1 decilitro de aceite

» 30 gramos de mantequilla

» Sal y pimienta

PARA EL CALDO

» 1 puerro

» 1 zanahoria

» 1 rama de apio

» 50 gramos de cebolla

» 500 gramos de cabezas de rape

» 2 litros de agua

» Sal

ELABORACIÓN

En una olla puesta al fuego con 2 litros de agua y un poco de sal, se cuecen las verduras (la zanahoria y el puerro, cortados en rodajas) con la rama de apio y el pescado, durante 20 minutos aproximadamente. Durante la cocción, se debe eliminar la espuma. Pasado este tiempo se retira del fuego y se cuela. Se reserva.

Se pone el caldo de pescado a hervir. Una vez rompa a hervir se echa el arroz y se remueve de vez en cuando durante 18 o 20 minutos.

Mientras tanto en una cazuela con el aceite se pocha la cebolla picada. Se sofríe la sepia, las gambas, el bacalao y se reserva. Una vez a punto el arroz, se añade a la cazuela donde se ha salteado la cebolla, se remueve y se pone la mantequilla y el queso parmesano rallado.

Se salpimienta una vez se tenga todo junto y se acaba de remover.

NOTA:
A ESTE ARROZ SE LE PUEDE AÑA-
DIR ALGO DE NATA LÍQUIDA.

RISOTTO
DE PESCADORES

DIFICULTAD: FÁCIL 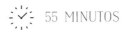 55 MINUTOS

INGREDIENTES PARA 4 PERSONAS:

» 400 gramos de arroz arborio

» 1,5 decilitros de vino blanco

» 1,5 litros de caldo de pescado

» 250 gramos de mejillones

» 150 gramos de gambones o langostinos pelados

» 250 gramos de chirlas

» 150 gramos de calamares medianos

» 100 gramos de tomates maduros

» 1 cebolla

» 2 dientes de ajos

» 1 decilitro de aceite de oliva

» 1 cucharada de perejil picado

» Sal y pimienta

PARA EL CALDO

» 1 puerro

» 1 zanahoria

» 1 rama de apio

» 50 gramos de cebolla

» 500 gramos de cabezas de rape

» 2 litros de agua

» Sal

ELABORACIÓN

En una olla puesta al fuego con 2 litros de agua y un poco de sal, se cuecen las verduras (la zanahoria y el puerro, cortados en rodajas) con la rama de apio y el pescado, durante 20 minutos aproximadamente. Durante la cocción, se debe eliminar la espuma. Pasado este tiempo se retira del fuego y se cuela. Se reserva.

Se lavan y se abren los mejillones y las chirlas al vapor. Se limpian y se reservan. Se saltean los gambones o langostinos en un poco de aceite, se reservan. En el mismo aceite se fríe la cebolla finamente picada. Se agregan los calamares limpios y cortados en aros y se sofríen unos minutos. Se añaden los tomates rallados, se salpimienta y se cuece a fuego suave.

En una cazuela con fondo, se fríe los ajos. Se incorpora el arroz y se dora a fuego medio removiéndolo continuamente durante 4 minutos. Se vierte el vino y se deja que el arroz lo absorba, se añade poco a poco el caldo hirviendo sin dejar de remover. Se cuece a fuego suave hasta que el arroz este tierno, unos 18 o 20 minutos. Se mezcla el arroz con el pescado reservado, se espolvorea con el perejil picado y se sirve.

RISOTTO
DE CARRILLERA
DE CERDO IBERICO

DIFICULTAD: FÁCIL  40 MINUTOS

INGREDIENTES PARA 4 PERSONAS:

» 800 gramos de carrillera de cerdo

» 350 gramos de arroz arborio

» 100 gramos de cebolla

» 1,250 litros de caldo de carne

» 50 gramos de mantequilla

» 80 gramos de aceite de oliva

» 80 gramos de queso parmesano

» 1 copa de brandy

» 1 cucharada de perejil o albahaca picada

» Sal

PARA EL CALDO

» 1 kilo de caparazones de pollo o pavo

» 2 huesos de ternera

» 500 gramos de costillas de ternera

» 50 gramos de cebolla

» 50 gramos de zanahoria

» 1 puerro cortado en rodajas

» 1 pimiento verde

» 2,5 litros de agua

ELABORACIÓN

Limpiar la cebolla, lavar las zanahorias y el puerro y los cortamos en rodajas. Ponemos en una olla el agua, el caparazón, los huesos, las costillas y dejamos cocer a fuego lento hasta que reduzca a la mitad (2 horas). Pasado este tiempo se retira del fuego y se cuela. Se reserva.

Se limpian las carrilleras y se cortan en trozos. En una cacerola puesta al fuego con el aceite caliente, se sofríe la cebolla cortada muy fina. Cuando la cebolla está pochada se añaden las carrilleras y se remueve.

A continuación se vierte el brandy con un poco de sal y el arroz con 2 cucharones de caldo caliente y se deja cocer sin dejar de remover de vez en cuando, añadiendo caldo según se necesite, la cocción será de 18 a 20 minutos. Una vez que esté al dente se añade la mantequilla y el queso rallado y se rectifica de sal.

Se sirve decorándolo con albahaca o perejil picado.

POSTRES

El arroz es el alimento básico de gran parte de la humanidad; en cientos de recetas y formaciones aparece acompañado por ingredientes que le prestan fuerza calórica, para completar su misión de reponer al hombre de sus esfuerzos cotidianos. No obstante, también se alía con azúcares, frutas, lácteos y miel para proporcionar postres amables y leves.

ARROZ
CON LECHE

 30 MINUTOS

INGREDIENTES PARA 4 PERSONAS:

» 300 gramos de arroz balilla
» 2 litros de leche
» 250 gramos de azúcar
» 1 palito de canela
» 1 cáscara de limón
» 1 litro de agua
» 15 gramos de canela en polvo

ELABORACIÓN

Se calienta 1 litro de agua, cuando esté hirviendo se añade el arroz, a los 5 minutos de cocción se saca, se escurre, se pone bajo chorro de agua fría y se vuelve a escurrir.

En una cacerola se colocan la leche, el palo de canela, la corteza de limón y el azúcar; cuando hierva la leche, se incorpora el arroz. Se mantiene la cocción de 15 a 20 minutos. Debe quedar cremoso.

Se retiran la corteza de limón y el palo de canela. Se pasa el arroz a una fuente, se deja enfriar y se esparce sobre él la canela en polvo.

ARROZ
CON LECHE Y MERENGUE

DIFICULTAD: MEDIA   ☼ 55 MINUTOS

INGREDIENTES PARA 4 PERSONAS:

» 200 gramos de arroz balilla

» 1 litro de leche

» 150 gramos de azúcar

» 2 tiras de corteza de limón

» 1 palito de canela

» 3 gramos de sal

» 0,5 litros de agua

PARA EL MERENGUE

» 6 claras de huevo (150 gramos)

» 200 gramos de azúcar

» 1 decilitro de agua

ELABORACIÓN

En una cacerola con 1/2 litro de agua hirviendo se echa el arroz y se deja cocer 5 minutos, se retira del fuego, se refresca bajo chorro de agua fría y después se escurre.

En otra cacerola se pone la leche, la canela y las dos cortezas de limón. Se incorpora el arroz y se deja cocer 15 minutos, se añade el azúcar y se prolonga la cocción 5 minutos más. Pasado este tiempo se saca el arroz y se deja en una fuente para que se enfríe.

Por separado se prepara el merengue: para ello se forma un almíbar con el azúcar y el agua. Se baten las claras a punto de nieve, para que cuajen, poco a poco, se le va incorporando el azúcar. Cuando el batido levanta, se incorpora poco a poco el almíbar y se continúa batiendo unos segundos más.

Se distribuye el merengue, mediante una manga pastelera, sobre el arroz y se sirve.

ARROZ
A LA EMPERATRIZ

DIFICULTAD: MEDIA  55 MINUTOS

INGREDIENTES PARA 4 PERSONAS:

» 125 gramos de arroz balilla
» 125 gramos de frutas confitadas
» 25 gramos de azúcar
» 0,5 litros de leche
» 0,25 litros de nata
» 15 gramos de cola de pescado
» 2 copas de licor kirsch u otro parecido
» 1 vaina de vainilla
» 0,5 litros de agua
» Aceite de almendras dulce

PARA LA SALSA:

» 100 gramos de fresas o frambuesas
» 100 gramos de azúcar
» 5 gramos de maicena
» 1 corteza de limón
» 1 decilitro de agua

ELABORACIÓN

Se coloca en una cacerola el arroz, se cubre de agua caliente y se cuece durante 5 minutos. Pasados estos, se saca y se pone bajo un chorro de agua fría, se escurre y se vuelve a echar en la misma cacerola, sin agua. Se incorpora la leche, el azúcar, la vaina de vainilla y se deja cocer durante 25 minutos, dejando que hierva moderadamente. Una vez cocido se saca y se deja enfriar.

Se prepara la cola de pescado remojándola en agua fría, se le agrega medio decilitro de agua caliente y se deja disolver. Se monta la nata, se cortan las frutas confitadas y se ponen en maceración con el licor.

Una vez frío el arroz se retira la vainilla, se agregan las frutas confitadas y el licor de maceración, la cola de pescado y, por último, la nata montada. Se remueve todo lentamente y cuando la mezcla espesa, se rellena con ella un molde (las paredes deben untarse ligeramente de aceite de almendras dulce). Se lleva al frigorífico y una vez esté frío se desmolda.

Mientras se cuaja el arroz, se prepara la salsa: en un cazo se ponen el azúcar y las fresas o frambuesas, un decilitro de agua y un poco de corteza de limón. Se pone al fuego y se deja cocer 10 minutos. Pasado este tiempo se liga con una cucharadita de café de maicena, disuelta con doble cantidad de agua fría; se deja cocer todo 2 minutos y se retira. Se vierte la salsa sobre el arroz y se sirve.

CORONA
DE ARROZ

DIFICULTAD: MEDIA

 45 MINUTOS

INGREDIENTES PARA 4 PERSONAS:

» 400 gramos de arroz balilla
» 400 gramos de azúcar
» 500 gramos de frutas confitadas variadas
» 100 gramos de guindas en almíbar
» 2 copas de ron
» Canela
» 1 litro de agua

ELABORACIÓN

Se pone el agua a calentar, se agregan el azúcar y el arroz, que deberán cocer entre 15 y 20 minutos, se saca del fuego y se escurre, apretando la masa de arroz y azúcar mediante un paño blanco.

Se traslada a un molde en forma de corona y se rellena, apretándolo bien.

Se derraman las dos copas de ron sobre el arroz y se recubre la superficie con canela espolvoreada.

Se colocan sobre la superficie las frutas confitadas, desmenuzadas, procurando combinar sus colores, y se adorna con las guindas. Se sirve moderadamente frío.

ARROZ
CONDE

DIFICULTAD: MEDIA

 45 MINUTOS

INGREDIENTES PARA 4 PERSONAS:

- » 150 gramos de arroz balilla
- » 150 gramos de azúcar
- » 50 gramos de mantequilla
- » 6 yemas de huevo
- » 1 vaina de vainilla
- » 1 litro de leche
- » Canela
- » Fruta en almíbar
- » Sal

ELABORACIÓN

Se da un hervor en agua al arroz con un pellizco de sal, aproximadamente durante 5 minutos. Se lava a chorro de agua fría y se escurre.

Se pone a cocer el arroz en la leche hirviendo con la vainilla durante 10 minutos. Se añade el azúcar y se deja hervir hasta que esté tierno. Se baten ligeramente las yemas y se añaden fuera del fuego, se añade la mantequilla. Se emplata y se decora con canela y fruta en almíbar (como melocotón).

POSTRE
DE ARROZ Y MIEL

DIFICULTAD: MEDIA

 20 MINUTOS

INGREDIENTES PARA 4 PERSONAS:

- » 125 gramos de arroz balilla
- » 100 gramos de miel de romero
- » 1 litro de leche
- » 60 gramos de mantequilla
- » 1 naranja mediana
- » 2 gramos de nuez moscada
- » 8 gramos de canela en polvo

ELABORACIÓN

Se unta un recipiente con la mantequilla, se coloca en él el arroz y la leche y se pasa al horno a 150 ºC durante 6 minutos.

Se saca del horno y se incorpora la miel, la corteza de la naranja, limpia de adherencias y picada, y la nuez moscada y se mezclan con el arroz y la leche; por último, se espolvorea de canela por encima.

Se devuelve al horno durante 10 o 12 minutos. Se saca y se deja enfriar durante otros 5 minutos más. Se sirve acompañado de bizcochos.

TARTA
DE ARROZ CON PASTAFLORA

DIFICULTAD: MEDIA  90 MINUTOS

INGREDIENTES PARA 6 PERSONAS:

PARA LA PASTAFLORA:

» 200 gramos de harina
» 60 gramos de mantequilla
» 100 gramos de azúcar
» 1 huevo
» 2,5 centilitros de aceite
» 5 centilitros de leche
» Sal

PARA EL COMPUESTO:

» 200 gramos de arroz balilla
» 1 litro de leche
» 150 gramos de azúcar
» 50 gramos de almendra
» 50 gramos de fruta confitada cidra, limón o naranja)
» 4 huevos
» Una copa de ron
» 1 limón

ELABORACIÓN

Se toma un molde de 24 centímetros de diámetro y se espolvorea con harina; sobre una tabla se mezclan la harina, el azúcar y una pizca de sal, y se hace un hueco en el centro, y en este se coloca la mantequilla cortada en pequeños pedazos, el huevo después y el aceite. Se agregan los 5 centilitros de leche y se amasa el conjunto. La masa se envuelve en un papel parafinado y se reserva en el frigorífico.

En un recipiente se pone a calentar la leche, con la corteza del limón, limpia y raspada; cuando rompe a hervir se agrega el arroz y el azúcar, y se remueven para evitar que el arroz se pegue al fondo. Cuando el arroz haya absorbido casi toda la leche (debe quedar algo meloso) se retira la corteza de limón y se deja enfriar.

Se añaden las almendras, peladas y picadas; la fruta confitada cortada en pequeños trozos y la copa de ron. Después los huevos de uno en uno, removiéndolos en el arroz. Se recubre el molde con una capa muy fina de la pastaflora obtenida, se echa dentro del mismo el compuesto de arroz, y se lleva al horno a 190 ºC, durante 1 hora. Pasado este tiempo se saca del horno, se deja enfriar la tarta en el mismo molde y se pasa a la bandeja o fuente de servicio.

BAVAROISE DE ARROZ

DIFICULTAD: FÁCIL

 50 MINUTOS

INGREDIENTES PARA 4 PERSONAS:

» 80 gramos de arroz balilla
» 1 litro de leche
» 200 gramos de azúcar
» 1 palito de canela en rama
» La piel de medio limón
» 40 gramos de gelatina neutra en láminas
» 1 litro de nata montada con 160 gramos de azúcar

ELABORACIÓN

Se pone la gelatina en remojo y la leche a hervir agregándole la piel de limón, la canela y el azúcar. Cuando todo esté hirviendo se agrega el arroz y se deja cocer hasta que esté tierno.

Se pone el arroz a escurrir, y en la leche que haya sobrado se pone la gelatina.

Se mezcla el arroz y la gelatina con la nata montada, se pone en moldes y se pasa al frigorífico hasta que esté cuajado, se saca de los moldes como si fueran flanes.

ARROZ
LIGADO

DIFICULTAD: FÁCIL  45 MINUTOS

INGREDIENTES PARA 4 PERSONAS:

» 400 gramos de arroz balilla

» 250 gramos de azúcar

» 2 litros de leche

» 2 gramos de sal

» 75 gramos de manteca

» 12 yemas de huevo

» La ralladura de un limón

» Un pellizco de vainilla

ELABORACIÓN

En un recipiente de horno se blanquea el arroz junto con la sal, es decir, se cuece durante 5 minutos, pasado ese tiempo se aparta del fuego y se escurre.

Una vez escurrido, y en el mismo recipiente, con los dos litros de leche, previamente hervida con la vainilla y la raspadura de limón, se mete al horno, 180°, durante 22 minutos, pasado ese tiempo y antes de que esté completamente cocido, se agrega el azúcar y la manteca. Se mantiene todo en el horno durante 3 minutos más.

Se remueve bien. Tras sacarlo del horno, se van añadiendo, poco a poco, las yemas. Se mezcla y se sirve en copas o cuencos.

ARNADÍ
DE ARROZ

DIFICULTAD: MEDIA  45 MINUTOS

INGREDIENTES PARA 6 PERSONAS:

» 250 gramos de arroz balilla

» 1,7 kilos de calabaza asada

» 1 litro de leche

» 500 gramos de azúcar

» 250 gramos de almendra molida

» La ralladura de 1 limón

» 1 palito de canela

» 50 gramos de almendra entera cruda

ELABORACIÓN

Se pone la calabaza a asar hasta que esté bien cocida. Se saca y se deja escurrir.

Aparte se cuece el arroz con la leche, la ralladura del limón y la canela, se deja escurrir bien, se retira la canela y se mezcla con la almendra molida y la calabaza asada. Se coloca en una cazuela de barro y se da forma de pirámide, poniendo las almendras crudas y el azúcar por encima, se pasa al horno a 160 ºC y se deja durante 15 minutos.

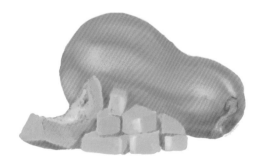

TORTILLA

DE ARROZ CON PLÁTANOS

DIFICULTAD: FÁCIL   40 MINUTOS

INGREDIENTES PARA 4 PERSONAS:

» 150 gramos de arroz balilla

» 1 plátano cortado en rodajas

» 1 plátano cortado en trocitos

» 30 gramos de azúcar

» 1 decilitro de aceite

» 8 huevos

» Harina para rebozar el plátano

ELABORACIÓN

En una cacerola se pone a cocer el arroz, cuando esté cocido lo salteamos con el plátano cortado en trocitos y el azúcar. En una sartén puesta a fuego se pone el aceite, cuando esté caliente se fríe el otro plátano pasado por harina y huevo. Con el arroz y el plátano picado se hacen tortillas tipo francesa. Se decora con los plátanos fritos.

DULCE
DE ARROZ CON AGUACATES

DIFICULTAD: MEDIA

 40 MINUTOS

INGREDIENTES PARA 4 PERSONAS:

» 150 gramos de arroz balilla

» 2 aguacates no muy maduros

» 1 litro de agua

» 1 litro de nata liquida

» 150 gramos de azúcar

» 1 palito de canela en rama

» 1 corteza de limón

» 50 gramos de mantequilla

ELABORACIÓN

Se pone a hervir el arroz con el agua y un poco de canela en rama. Transcurridos 14 minutos se agrega la nata, que se habrá puesto a calentar con la corteza de limón, el azúcar y la mantequilla.

Se remueve poco a poco con una cuchara de madera y se deja cocer hasta que se vea que está bien hecho. Seguidamente quitamos la corteza de limón y la canela, se retira del fuego y se quita un poco de nata con la ayuda de una cuchara y se reserva. Antes de que se enfríe se reparte en boles y se deja enfriar. A continuación, se pelan los aguacates y se rallan.

En un recipiente de acero pequeño se pone al fuego con dos cucharadas soperas de azúcar y un poco de agua, se deja cocer hasta que se haga un almíbar. Se procede a incorporar el aguacate rallado y se deja en el recipiente de acero durante unos minutos. Finalmente, se le agrega la nata que anteriormente se había reservado y se mezcla todo hasta conseguir una crema con la que se cubre el arroz.

ARROZ
DULCE A LA CREMA DE MELÓN

DIFICULTAD: MEDIA  45 MINUTOS

INGREDIENTES PARA 4 PERSONAS:

- » 150 gramos de arroz balilla
- » 1 litro de leche
- » 4 yemas de huevo
- » 4 rebanadas finas de melón cortadas a lo largo
- » 100 gramos de melón cortado en dados
- » 200 gramos de azúcar
- » 40 gramos de cobertura de chocolate blanco
- » Canela molida

ELABORACIÓN

Se pone la leche con el arroz a hervir. Una vez hervido, se ponen las yemas disueltas con un poco de agua, el azúcar y la canela molida. Se bate bien hasta que esté todo hecho una pasta, se deja enfriar.

Para la crema de melón se trituran los 100 gramos de melón. Aparte se pone la cobertura de chocolate blanco a derretir al baño de María. Se incorpora el melón triturado y se bate bien.

En un plato trinchero se ponen las rebanadas de melón, haciendo con ellas cilindros, y se rellenan con la crema de arroz que previamente se habrá dividido en cuatro partes; se pone una guinda roja y por encima se deja caer parte de la crema de melón.

TERMINOLOGÍA

- **Aceite al fuego:** Poner aceite o grasa en un recipiente y calentarlo.

- **Ajada:** Salsa compuesta de pan diluido en agua, ajo machacado y sal.

- **Al dente:** Cocer pasta, arroces o verduras y no dejar que se pasen.

- **Baño de María:** Consiste en cocer una preparación en un recipiente que se sumerge en otro con agua a plena ebullición. Este modo de cocción permite controlar la temperatura y evitar el exceso de calor.

- **Barba:** Escobilla que contiene el mejillón.

- **Brunoise:** Legumbres cortadas en pequeñísimos dados, muy uniformes de tamaño, siendo estos de uno o dos milímetros.

- **Cañones:** En las aves (pollos, faisanes, pavos, etc.), restos de los principios de las plumas que quedan al pelarlos.

- **Casco:** Trozos de un alimento cortados algo gruesos.

- **Cazo:** Utensilio metálico, generalmente semiesférico y con un mango largo para manejarlo. Se usa para servir sopas, cremas, etc., y también como unidad de medida para algunos ingredientes.

- **Choco:** Es una sepia familia del calamar.

- **Cuajar:** Solidificar un líquido mediante el calor (como en los huevos batidos al formar una tortilla o un flan), mediante la adición de gelatina, un cuajo especial (para la leche) o espesándolo con fécula y dejándolo enfriar.

- **Desleír:** Disolver una sustancia sólida en un líquido.

- **Embeber:** Es reducir una salsa o líquido.

- **Emplatar:** En cocina se utiliza este término para colocar los preparados en fuentes o platos que se presentan en la mesa.

- **Emulsión:** Sumergir los alimentos en el caldo del guiso, para absorber las partículas en forma de sabores que hay en él.

- **Escaldar:** Introducir, brevemente, un género en agua hirviendo.

- **Eviscerar:** Quitar las entrañas, venas, tripas… para limpiarlas y lavarlas.

- **Garrofón:** Es una judía grande y aplastada típica de la zona de Valencia (España). Si no se tiene se puede prescindir o sustituir por algún tipo de judión.

- **Hervir:** Someter algo a la acción del agua o de otros líquidos en ebullición.

- **Hervor:** Empezar a hervir un líquido. Dejar hervir un alimento o preparado durante unos instantes. Dar un hervor.

- **Juliana:** Cortar los alimentos en tiras finas. Se usa principalmente en verduras.

- **Levantar un hervor:** Se dice cuando el caldo empieza a hervir fuerte.

- **Ligar:** Hacer espesar un preparado por medio de ciertos ingredientes. También se utiliza este término cuando se añaden otros elementos a un preparado y se forma cuerpo con este.

- **Macerar:** Dejar un manjar sumergido en un líquido con hierbas aromáticas a fin de perfumarlo y ablandarlo. El líquido de la maceración se utiliza posteriormente en la elaboración de la salsa o guiso.

- **Majar:** Machacar y aplastar, en un mortero, determinados alimentos.

- **Marear:** Consiste en echar todos los ingredientes en una cacerola o sartén con la grasa (aceite) y sofreír unos minutos antes de mojarlos.

- **Mazar:** Golpear una cosa para quebrarla o deformarla. Machacar.

- **Menestra:** Guisado compuesto por varias hortalizas cortadas en trozos.

- **Mojar:** Agregar a un preparado el líquido necesario para su cocción.

- **Mondar:** Es quitarle la piel o cáscara a un alimento.

- **Montar:** Término culinario empleado cuando se trata de aumentar el volumen y dar consistencia a ciertos géneros (yemas de huevo, nata, etc.)

- **Papel parafinado:** Es un papel preparado para forrar moldes y meter al horno, por ejemplo para bizcocho o lenguas de gato, etc. Se utiliza mucho en pastelería.

- **Parte:** Cantidad o porción.

- **Pasar por limón:** Acción de cortar los limones y restregarlos en un alimento para que este no se ponga negro.

- **Pellizco:** Porción pequeña de un ingrediente. Por ejemplo: sal, perejil, pimienta, etc.

- **Pinchar la pasta:** La pasta de harina, hojaldre, se pincha, con un tenedor para que no suba en demasía. También es para saber su textura en un momento determinado.

- **Purgar:** Limpiar salteando algunos alimentos, como riñones, a fuego fuerte y dejándolos escurrir en un chino o colador a fin de que pierdan parte de su jugo, que daría un mal sabor a los platos que se cocinan.

- **Rectificar:** Poner a punto el sazonamiento de un preparado. También puede ser para cambiar su color, usando para ello alguna especia o colorante.

- **Reducir:** Hacer cocer un preparado con el fin de que al evaporarse total o parcialmente los líquidos que contiene resulten los ingredientes más sustanciosos.

- **Reforzar:** Agregar a un caldo, salsa u otro preparado algún género o elemento que intensifique su color, sabor o aroma.

- **Rehogar:** Operación de saltear a fuego lento un género, sin permitir que tome color, con poca grasa (aceite) en una cacerola o sartén.

- **Reposar:** Dejar el guiso, después de separarlo del fuego, unos minutos quieto antes de servir.

- **Reservar:** Dejar parte de los ingredientes o caldo separados, para después juntar con el resto y continuar la elaboración del plato.

- **Salpimentar:** Mezcla de sal y pimienta.

- **Saltear:** Freír a fuego vivo un alimento, agitándolo en la sartén para que no se pegue o se tueste en exceso.

- **Sancochado:** Es el arroz con cáscara sometido a un proceso de vaporización, se seca a continuación y se procura que el salvado quede lo más incrustado en el grano a fin de que tenga más sabor.

- **Sazonar:** Condimentar la comida con sal y especias.

- **Sofrito:** Sofreír, freír lentamente un alimento en materia grasa (aceite).

- **Tamiz:** Cedazo tupido.

- **Trabar (una salsa):** Ligar una salsa, crema, etc., por medio de huevo, sangre, harina, etc.

- **Timbal:** Molde savarín, molde en forma de corona circular; hay varios tipos y formatos.